翻訳家になるための
7つのステップ

知っておきたい
「翻訳以外」のこと

著
寺田真理子

雷鳥社

はじめに

出版翻訳家になりたいあなたへ～一緒に夢をかなえましょう！

「いつか出版翻訳家になりたい」と思いながら、そのために何をどうすればいいのかわからない……そんな方のために、何かできないかずっと考えてきました。長年勉強を続けていても夢をかなえられない方も多いと知り、「なんてもったいない！」という気持ちでいっぱいになりました。せっかくやる気があって努力もしている方には、社会の中で自分らしく花開いてほしいのです。がんばってきたことが、きちんと報われてほしいと心から願っています。そのために精一杯応援させていただきたくて、本書をお届けいたします。

私はこれまで、専門分野を中心に英語とスペイン語で九冊の翻訳書を出版しています。著書、編著書や監修書を合わせると十四冊の本を出版してきました。

「次々に出版できて、すごいですね」と言われることが増える一方、「ずっと翻訳学校に通っているのに仕事につながらなくて……」というご相談を受けることも増えてきました。

もともと私は自分を出版翻訳家とは認識していませんでした。出版翻訳家を目指していたわけではない私が出版を重ねているのに、それを目指して努力している方たちが本を出せないのは、何かがおかしいのでは？

そこで、「私はこれこれこういうふうにしてやってきました。あなたの状況だったら、こうしてみたら？」とお伝えすると、必ずこんなセリフが返ってくるのです。

「そんなこと、考えたこともなかった！」

相手もびっくりですが、私のほうもびっくりです。そして気づいたのです。

「そうか、みんなここがわかってないんだ！」

出版翻訳家を目指して勉強中の方たちと私とで、語学力や努力に大きな差があるとは正直思いません。違いがあるとすれば、それはむしろ「考え方」と「行動」なのです。

翻訳の技術を教えてくれる学校はあっても、出版翻訳家になるために実際に大切な〝「翻訳以外」のこと〟を教えてくれるところはありません。だから、本書ではあなたを出版翻訳家にする考え方と七つの行動をお伝えします。

いずれも、すべて実際に私がやってきたことです。効果は出版実績で証明済み。試してみていただければ、あなたの出版翻訳家デビューはぐんと近づくはずです。

出版翻訳家になりたいという夢を持ちながらも、どうしていいかわからずに途方に暮れてしまっていたあなた、もう大丈夫です。さあ、一緒に夢をかなえましょう！

もくじ

はじめに　出版翻訳家になりたいあなたへ～一緒に夢をかなえましょう！　2

7つのステップ

インタビュー

Q&A

7つのステップ

そもそも論～どうして出版翻訳家になりたいの？

まずは、「そもそも論」からしておきましょう。この質問に答えてくださいね。

「あなたは、どうして出版翻訳家になりたいの？」

たとえば「自分が翻訳したい原書が具体的にある」というなら、それをどうやって出版につなげていくか、現実的に考えていくことができます。

あるいは「語学が好きだから語学を活かした仕事につきたい」というなら、出版翻訳でなくても、映像翻訳や産業翻訳、もしくは通訳など他にも色々な選択肢があります。なぜ出版翻訳なのかを考えてみることで、自分のやりたいことが明確になるでしょう。

または「本が好きなので自分の名前の載った本を出したい」というなら、翻訳よりも出版に惹かれているのでしょう。自覚はないけれど、翻訳ではなく自分の本を出したいという願望があるのかもしれません。

中には漠然と憧れている方もいるでしょう。それなら、翻訳の勉強よりも先にするべきことは、いったい何に憧れているのかを探ることです。

本を出すことで世の中に認められたいという動機もあるかもしれません。「そんな動機は不純だ」なんて否定するつもりはありませんし、その気持ちをバネにがんばれるのならいいと思います。ただ、「自分は世の中に認められていないと感じているんだな。だからこうして認められたいんだな」と自分の承認欲求に気づいておくことが大切です。

たまにですが、「印税でもうけたいんです！」という方もいます。170ページの「出版翻訳の収入って？」にあるように、たしかに、手がけた本がヒットして結果的にお金もうけにつながることはあります。だけど一冊の本を世の中に送り出すのは、本当に心身ともに消耗するものです。「もう、私、発狂しちゃうんじゃないかしら⁉」というくらい追い込まれることもあります。お金もうけをモチベーションにして乗り切れる仕事ではないと思います。もっと手っ取り早い方法はきっとたくさんあるでしょう。

さて、「あなたは、どうして出版翻訳家になりたいの？」

この質問の答えをゆっくり考えてから、先へ進んでいきましょう。

憧れを力に～どんな出版翻訳家になりたいの？

どうして出版翻訳家になりたいのか、自分なりの理由が見つかりましたか。

そこで、もうひとつ質問です。

「あなたは、どんな出版翻訳家になりたいの？」

この質問に答えることは、「出版翻訳家」という言葉であなたが思い描くイメージを明確にすることでもあります。

「出版翻訳家」とひと言でいっても、その在り方は様々です。古典的な文学作品を長年かけて完成させる方、海外で話題の小説家の新作を次々に日本に紹介する方、注目される実業家の自己啓発書を手がける方、スポーツや音楽など特定の分野の専門書を訳す方、日本でも人気の児童書を手がける方……。

あなたが思い描く「出版翻訳家」はどんな方でしょう？

出版翻訳家という仕事との関わり方も、また多様です。毎日自宅で朝から晩までひたすら翻訳し続ける働き方もあれば、大学で文学を教えながら翻訳を続ける、翻訳している分野に関する執筆も手がける、好きな作家の本を翻訳しながら来日の際に通訳も務める、という具合に……。

私の場合は、認知症ケアの分野での出版翻訳を機に、その内容について全国各地で講演をしたり、執筆をしたりと活動の幅が広がりました。出版翻訳をすることで、それを軸にキャリア展開の可能性は大きく広がります。「本を出していること」で生まれる信頼は、やはり大きいのです（98ページの北川郁子さんのインタビューをご参照ください）。

もちろん、「講演なんて人前で話すのは嫌だし、家で翻訳だけしていたい」という方もいるでしょうが、「自分の可能性を試してみたい」という方には、きっと貴重なチャンスを与えてくれます。

「これが正解」というものがあるわけではありません。どんな出版翻訳家になって、どういうふうにその仕事と関わっていくのか。あなたにとって、一番しっくりくるスタイルを選べばいいのです。もしかしたら、今は一冊の本を出すことまでしか考えられないかもしれません。それすら遠い夢のように思えるかもしれません。だけどその一冊を出した時、確実にあなたの世界は広がります。せっかくなら、その先のキャリアも楽しみながら思い描いてみてください。出版翻訳家という仕事を通して、あなたという素材をどのように世の中に提供していくのか、ワクワクと想像してみてほしいのです。

そして、なりたいイメージを明確にしておくこと。「勉強しているのにうまくいかない」と思い悩む時間は、かえってあなたを夢から遠ざけてしまいます。だからその時間は、うれしい未来を鮮やかに思い描くことに使いましょう。憧れを強く持つほうが、きっと早く夢に近づけるはずですよ。

今から、そのために何をしていけばいいのかを見ていきましょう。

七つの行動①～分野を絞る

いよいよこれから、あなたを出版翻訳家にする七つの行動をお伝えしていきます。

まず、ひとつ目の行動は「分野を絞る」です。あなたの手がけたい翻訳の分野を絞りましょう。

「え？　ちょっと待って！　せっかく夢を膨らませたのに、そんな地味なことから始めるの？」と思うかもしれません。そう、地味なんです！　一見華やかに見える物事の裏側にあるのは、とても地味で地道なこと。それをコツコツ続けていけた時、はじめて夢を実現できるのです。

「もっと楽で手っ取り早い方法はないの？」という方のために、楽で手っ取り早い方法をひとつだけお教えします。それは、「楽で手っ取り早いこと」を求める、あなたのその考え方を変えることです！

自分の勉強がうまく進まないと、他の方は何か特別な方法を知っているんじゃないかと疑心暗鬼になってしまいますよね。そしてその幻の方法を求めて情報に溺れ、勉強は何も進まないまま……。楽な方法や手っ取り早い方法を探すために時間を費やすよりも、「ちゃんと一つひとつ勉強していくしかないんだな」と、ある意味「あきらめる」ほうが、早くスタート地点に立てるのです。

分野を絞ることは、「あなたは、どんな出版翻訳家になりたいの？」という質問の答えにも通じるものです。実用書を手がけたいのか、専門書なのか、それとも小説なのか。小説の中でもＹＡ（ヤングアダルト）向けなのか、ミステリなのか、純文学なのか……と具体化していってください。そこがはっきりすれば、勉強の進め方も見えてきます。

特定の分野を続けることで、「この分野ならこの人」と認知され、仕事がくるようになります。また、得意分野を持つと、自信につながります。さらに、その分野を翻訳して学んでいく過程で、専門家といえる知識を身につけることができます。それを自ら発信して、仕事の幅を広げることもできるでしょう。それに、ひとつの分野を深める経験は、他の分野にも応用がきくのです。

それでは、分野を絞らないとどうなるでしょう？　あえて分野を絞らず、依頼された仕事をすべて受けるスタンスもあるでしょう。頼むほうからすれば、「この人に頼めば断られない」というのはありがたいですよね。断らないから仕事が次々にくるという側面はありますし、量をこなす中で実力もつけていけます。

ただ、このやり方では、手がける分野も多種多様になるため、「この分野ならこの人」と認知されることにはつながりません。「都合のいい人」にはなれても、「ぜひお願いしたい人」にはなれないのです。また、専門分野がないために初歩レベルの仕事から脱却できないかもしれません。

最近はＡＩの進歩が目覚ましく、これからも加速していくでしょう。機械に置き換えられない自分の仕事は何なのか、考えていかなければいけません。分野を絞らずにあれもこれも手がけると、その都度勉強が必要なことが大量にあり、広く浅くの知識しか得られません。やはり、自分がこれと思う分野を絞って深めていくことが、特にこれからの時代は大事になるでしょう。

分野を絞ることの大切さについては、128ページの植西聰さんや136ページの越前敏弥さんのインタビューでもお読みいただけます。あわせてご参考になさってください。

【コラム】出版業界は、ひとつ？

「本が好きだから、出版翻訳家になりたい」

そう思っている方も多いことでしょう。あなたにとっての「本」とは、どんな本を指しているのでしょうか。純文学、恋愛小説、ミステリ、実用書、自己啓発書、ビジネス書、専門書、エッセイ、児童書、絵本、それとも……？

「本」といっても、その世界は実に幅広く、それぞれの分野によって関係者の考え方や雰囲気はまったく違うのです。

これは、英語の世界についても当てはまるかもしれません。「英語ができるなら、通訳も翻訳もできるでしょう」などと言う方がいますが、通訳と翻訳ではまったく別の仕事です。そして翻訳の中でも、出版翻訳と産業翻訳、字幕翻訳ではまたそれぞれ違います。

あるいは、外食産業だってそうでしょう。ファーストフードとレストランでは別物ですし、レストランの中でも和食と洋食、中華、エスニックなど、それぞれに分かれています。その中でもまた、価格帯や地域などによってさらに細分化されていくわけですね。

このように、ひとつの業界に見えていても、その中はかなり細かく分かれているものです。出版業界も例外ではありません。自己啓発の分野のベストセラー作家を文芸の分野の編集者がまったく知らなかったり、逆に、文芸の分野では大注目の小説家を実用書の編集者は聞いたこともなかったり、ということが当たり前にあるのです。

私も出版業界に関わるようになるまで知りませんでしたが、細分化されたそれぞれが別世界ですし、「越境」も難しいものです。たとえば、翻訳したい絵本の持ち込み先を探した時も、すでにお付き合いのあった出版社は「うちは絵本はやっていないし、知り合いもいない」と、まったく伝手が見つかりませんでした。

また、それぞれの世界で本に対する考え方もかなり違います。私は当初、出版関係の知人にビジネス書方面の方が多く、そこでは本を「商品」と捉える考え方が主流でした。その世界では、「初速」という出版直後の本の売れ行きを重視します。そして「購入者にはこんな特典をつけます」という各種のキャンペーンを積極的に行います。

もちろん、本は読者に読んでもらってこそのものですし、そのために働きかけることも大切です。最初から売れ行きがいいに越したことはありません。だけど私にとって、本とは「読者の人生に長年にわたって影響を与えるもの」なので、「商品」としてばかり捉えることに違和感を覚えました。

そこで少しずつ文芸寄りに活動領域をシフトしてきたのですが、文芸のほうでは時間軸がまた違います。何年もかけて読者の深いところに届く作品を書くことが評価される世界です。

どちらがいい、悪いではなく、どちらが自分の価値観に合っているか、見極めることです。出版業界はひとつだと思わないこと。細分化されたそれぞれに違う価値観や評価基準があるのだと知って、自分に合ったところを見つけるようにしてくださいね。

どうやって分野を絞ればいいの？

それでは、どうやって分野を絞ればいいのでしょう？　私自身の経験からお伝えしていきますね。

翻訳の仕事をしようと考えた時、想定した分野が三つあります。「ＩＴ関係」、「アニメやゲーム」、そして「認知症ケア」でした。

ひとつ目の「ＩＴ関係」は、それまで長くＩＴ関係の通訳をしていたので知識もあり、ニーズもあると考えました。二つ目の「アニメやゲーム」は、日本が国として売りにしているだけに、今後も伸びると見込んだのです。三つ目の「認知症ケア」は、個人的な興味、関心から選んだものでした。

「ＩＴ関係」は、たしかに長年続けてきてはいたものの、個人的にはまったく関心の持てない分野でした。「アニメやゲーム」も、情報収集のために足を運んだイベント会場の雰囲気が肌に合わず。結局、この二つの分野を手がけることはありませんでした。

だけど三つ目の「認知症ケア」は別でした。私が認知症に興味を持ったのは、自分自身がうつ病を経験したからです。それまでできていた日常生活の基本的なことすらできなくなりました。バッグからお財布を取り出そうとしても、バッグのファスナーを開けなければいけないのがわからず、パニックに……。そんな症状が認知症と似ていることを知り、興味を持ったのです。個人的な強い思いがあったからこそ、仕事につながったのでしょう。

今にして思えば、「IT関係」も、「アニメやゲーム」も、「世の中にこういうニーズがあるだろう」という外側からの理由で考えたものでした。頭で選んでいたのです。それに対して「認知症ケア」は、実際に自分の心が動いたもの、心で選んだものだったのです。

仕事となると、どうしても頭で選ぼうとしがちですが、一冊の本を翻訳するのは心身ともに消耗するものです。それだけのエネルギーを注ぎ込めるものを見つけるために、ぜひあなたの心で選んでみてください。それに、心で選んだものが相手なら、あなたから湧き上がるエネルギーもまったく違うはずですよ。

分野を絞ると、実際にこれからやることを勉強するので楽しいですし、身につきます。たとえば料理の本を翻訳したいと思っている方が学校で金融翻訳を勉強しても、興味も持てず、身につかないでしょう。

それなら料理に特化して、その翻訳に求められるものは何かを考えて勉強していくほうが、ずっと近道です。調理法や調味料に関する用語であったり、料理の歴史だったり、活躍しているシェフだったり……。語学に限らず、必要な背景知識で、勉強することはたくさんあるはずです。

人によってはその過程で「料理の本を翻訳したいと思っていたけれど、実は料理についての海外の情報を発信したかったんだ」と気づくこともあるでしょう。それなら今の時代は情報発信手段がたくさんあるのですから、それを使って発信していけばいいと思います。そこからまた何か新しい活動につながっていくかもしれません。

情報発信ではなく、やっぱり「自分は料理の本の翻訳がしたいんだ」と思ったら……そこで次の行動に移りましょう。

七つの行動②〜原書を見つける

次の行動は「原書を見つける」ことです。

自分が翻訳する原書を見つけることで、これから必要な勉強が具体的になります。原書が見つからないうちは、何をしなければいけないのか漠然としていて、将来が見えにくいでしょう。やるべきことがはっきりすれば、出版翻訳家への道筋も見えてきます。

では、その原書をどうやって見つければいいのでしょう？　まずは、書店で探す方法があります。大規模書店の洋書コーナーに行って、そこで実物を手に取って興味を惹かれる本を探すのです。また、海外に行く際に、現地の書店で探してみるのもいいでしょう。104ページの笹根由恵さんのインタビューでも、実際に書店に足を運ぶことの大切さが語られていました。五感をフル活用することで気づくことがあるでしょう。

海外にも行かないし、近くに大規模書店もない、という場合でも、オンライン書店で探すことができます。実際に、私もそうやって原書を見つけました。『パーソンセンタードケアで考える認知症ケアの倫理』（ジュリアン・C・ヒューズ、クライヴ・ボールドウィン／クリエイツかもがわ）の原書は、私が専門にしているパーソンセンタードケアという認知症ケアの考え方について関連書籍を検索する中で、見つけることができたのです。

たとえばAmazonで書籍を検索すると、関連書籍やおすすめが出てきますよね。それを見ていく中で、興味を惹かれる本があるかもしれません。また、洋書の専門書の場合は、

23ページの画像で囲んであるように冒頭に出版社が関連書籍を載せていることが多いので、それを参考に探すのもいいでしょう。その分野で有名な大学や研究機関のサイトを見つけて、そこから刊行されている書籍や論文集を探す方法もあります。小説であれば、好きな作家の公式サイトやファンサイトで最新作をチェックすることもできるでしょう。

リアル書店、オンライン書店以外にも、国際的なブックフェアで見つける方法があります。このようなブックフェアでは、各国の出版社が自社のおすすめの本を揃えて出展しています。足を運ぶことで、これらの本を手に取ることができます。

大規模書店でも、洋書はやはり数が限られてしまいます。また、オンライン書店では、本の中身をすべて確認できないという制約があります。ブックフェアなら、多数の本を実際に手に取って確認できるのです。

私も、ブックフェアで原書を見つけたことがあります。『なにか、わたしにできることは？』（ホセ・カンパナーリ、ヘスース・シスネロス／西村書店）という絵本の原書です。スペインの出版社が出展していて、カバーイラストのたたずまいに魅了されたのです。

自分が何かをやりたいと思った時、理路整然とその理由を説明できる場合もあるでしょう。だけど人間は直観で動くことも多い生きものです。「なぜかわからないけれどこれをや

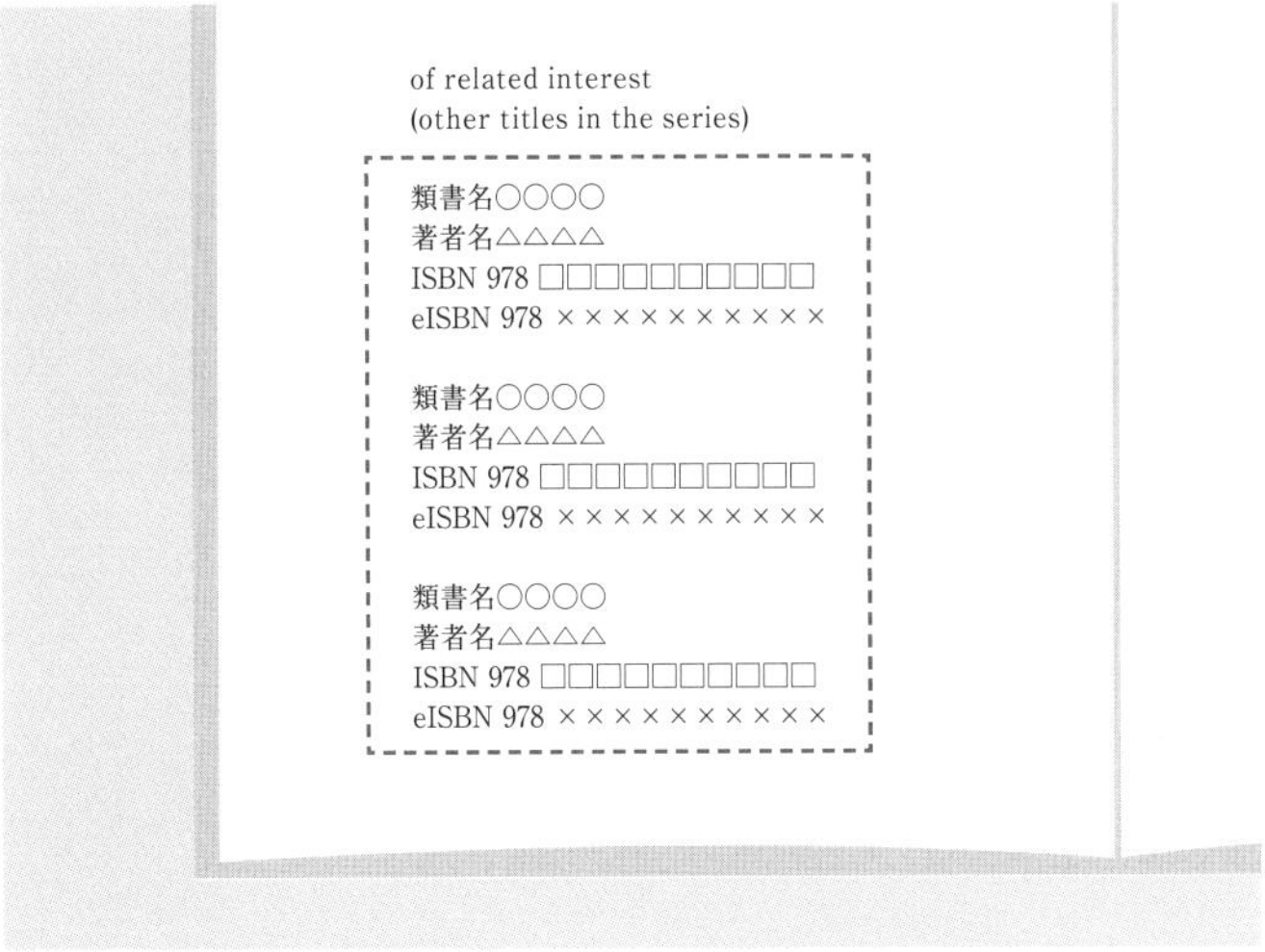

of related interest
(other titles in the series)

類書名○○○○
著者名△△△△
ISBN 978 □□□□□□□□□□
eISBN 978 ××××××××××

類書名○○○○
著者名△△△△
ISBN 978 □□□□□□□□□□
eISBN 978 ××××××××××

類書名○○○○
著者名△△△△
ISBN 978 □□□□□□□□□□
eISBN 978 ××××××××××

りたい」と心が動く時は、その対象が発している雰囲気やたたずまいが重要な要素になると思います。言語ではない「ことば」で語りかけられているのを、あなたが感じ取っているということですから。その語りかけを実際に体験できる場として、ブックフェアに足を運ぶこともおすすめします。

【コラム】原書の見つけ方

原書の見つけ方について、いくつかヒントをお伝えします。

実は、私は読書療法（本を読むことで問題が解決されたり、なんらかの癒しが得られたりすること）の活動をする中で、「自分に合った本をどうやって探せばいいですか」とよく質問されます。これは翻訳しようと思えるほどのいい原書、つまり自分に合った原書をどうやって探せばいいかということにも通じるのではないでしょうか。

そこで、私がお伝えしている選書術のうち、原書探しにも応用できるものをご紹介します。

①シンクロニシティ選書術

本を選ぶ時、私がもっとも頼りにしているのがシンクロニシティです。シンクロニシティとは、意味のある偶然の一致のこと。「しばらく会っていない友人のことを思い出していたら、その友人から電話がかかってきた」という経験はないでしょうか。これがシンクロニシティです。

これには心理学的な根拠があります。私たちは日常生活の中で「意識」の世界ばかり重視していますが、「潜在意識」というものがあります。両者を合わせて百パーセントとすると、意識の世界は五から十パーセントに過ぎないと言われます。それに対し、潜在意識は九十から九十五パーセントと圧倒的に大きいのです。この潜在意識は、私たちが求めているものを探し出してくれる高度な検索エンジンのようなもので、シンクロニシティという形で必要な情報を差し出してくれるのです。意識に頼ってあくせく探すよりも、圧倒的に大きな潜在意識を活用したほうがいいと思いませんか。

シンクロニシティは、求めているものにアンテナを立てると発生しやすくなります。以前、「ブックガイド的な本が読みたい」と思いながら電車に乗ったら、目の前に座っていた女性が読んでいた本のタイトルがなんと、『心と響き合う読書案内』（小川洋子／PHP研究所）！　まさにうってつけの本でした。

原書探しでも、「こんな本に出逢いたい」とアンテナを立てることです。「ワクワクする新しい料理法を紹介した本を見つけたい」「巧妙なプロットに唸ってしまうミステリ小説に出逢いたい」という具合に。「まだそこまで自分の求めるものが具体化できていない」という方は、「絶対に自分が訳したい！　と心が強く動く本に出逢いたい」でもかまいません。まずは、自分の思いを放つことから始めてみましょう。

②同質の原理選書術

心理学では音楽療法に「同質の原理」というものがあります。たとえば、落ち込んでいる時には、あまり元気な曲よりも静かな曲のほうが心に寄り添ってくれます。逆に、元気な時には静かな曲よりもアップテンポの明るい曲を自然と聞きたくなるものです。このように、自分の精神状態に合ったものを好みますし、合う曲を聞くことで心が癒されていきます。

同じように、どんな本を選ぶかで自分の精神状態も見えてきます。落ち込んでいる時はやはり暗めのトーンのものや重い内容のものを手に取りますし、気力が充実している時は、自己変革や精神修養を説く積極的な内容のものを手に取ります。また、疲れていると文字が少ないものや漫画など、読むのが楽なものを選びがちです。

読者をあおってやる気にさせるタイプの自己啓発書などは、元気な時なら刺激を受けて頑張ろうという気になれますが、疲れている時に読んでも余計に疲れを増幅させるだけでしょう。自分の精神状態に合ったものを取り入れることが大切です。

原書選びでこれを応用するなら、自分の精神的なトーンや性格に合ったものを選ぶということです。たとえば太宰治の作品を愛読している方がハイテンションな営業の本を翻訳しようとしてもつらいでしょうし、逆にラテン系の明るい性格の方が内省的な小説を訳そうとしてもつらいでしょう。

また、語り口なども考えてみましょう。ぽつりぽつりと語るのが好きな方が饒舌な文章を翻訳しようとしても、自分の身体感覚とのズレがあるのでしっくりこないのではないでしょうか。饒舌な方なら、普段の自分のおしゃべりの延長のように翻訳できるでしょうし、逆に、淡々とした語り口は訳しづらく感じるのではないでしょうか。自分に合っていれば入り込んで翻訳できるので、翻訳に伴うストレスも軽減できるはずです。本を手に取ってパラパラとめくってみて、文章のリズムや一文の長さなど、著者の呼吸を感じ取ってみてください。

翻訳をすることは、著者や登場人物を自分の中に住まわせることでもあります。だから、あえて「自分に取り入れたい要素を持っている作品を選ぶ」ことで、翻訳をしながら性格まで変えていくことも考えられます。たとえば、「自分は決断力がなくていつもチャンスを逃してしまう」と悩んでいるなら、「判断に迷いがなくて、次々にチャンスをつかんでいく主人公」の作品を選んでみる。あるいは、「人の欠点ばかり目についてしまう自分の性格が嫌」ならば「人の美点を見つけ出して輝かせるのが得意な主人公」の作品を選んでみる、という具合です。

翻訳を通して著者や登場人物とある程度長い期間付き合うのですから、その時間が豊かなものであるように選んでいきたいですね。

③装幀選書術

「ジャケ買い」というように、本のカバーデザインやイラストに惹かれて選ぶこともあるでしょう。これはとても賢い選び方だと思います。なぜなら、装幀もひとつの「言語」だからです。その言語で本の内容を伝えてくれているので、装幀に惹かれたのなら内容にも惹かれる可能性が高いのです。

実際、装幀家の菊地信義さんは著書『新・装幀談義』（白水社、二〇〇八）の中でこう述べています。

「装幀とは、言葉で表出された作品の印象を、本の材質や文字の姿、色調や図像でとらえ、構築する。人の目や手に届ける批評でもある。作品に紙や文字の注文など書かれていないが、作品が読む者の内から、文字や色の印象をすくいあげてくれる。装幀者に必要なことは、構築する要素の豊かな知識と、それが人にもたらす意味や印象を深く理解することだ」

このことを強く感じたのは、『白い花と鳥たちの祈り』（河原千恵子／集英社）という小説を読んだ時です。装幀の醸し出すたたずまいに惹かれたのがきっかけで読み、世界観に強く魅了されました。読後に再度装幀を眺めて、「この作品の世界観をこんなに的確に装幀で表現できるなんて！」と驚いたのです。登場人物や作品中のモチーフを用いているわけではないのに、作品世界と装幀がぴったり重なるのです。

原書選びにも、この装幀選書術を応用できるでしょう。私が『なにか、わたしにできることは？』の原書を手に取ったのも、装幀を含めたたたずまいがきっかけでした。感覚的なものを活かしやすい選書術なので、「今の日本のマーケットはこうで、ニーズはこうで」と考えるよりも、自分にしっくりくるものを見つけやすいと思います。

その時点では「どうしてこの本が気になるんだろう」と理由がわからなくても、後になって「自分の人生とこういう点で重なるんだ」と気づくこともあるでしょう。だから気になる原書に出逢ったら、手に入れておくことをおすすめします。

「①シンクロニシティ選書術」「②同質の原理選書術」「③装幀選書術」、ぜひフル活用してあなたにぴったりの原書を見つけてくださいね。

そして、もうひとつおすすめなのが、「人に探してもらうこと」。「こういう原書を探している」と普段から人に話すなどして発信しておくのです。そうすると、「そういえば、この間出張でニューヨークに行った時に立ち寄った書店で、こんな本があって……」というふうに情報をもらえるようになります。一人で探すのが一本のアンテナを立てるようなものだとしたら、人に伝えることで何十本、何百本ものアンテナを立てることができるのです。

出版翻訳する価値があるかを見極める

「これは」と思う原書が見つかったら、熱い気持ちをひとまず抑え、クールな頭でこう考えましょう。

「この本を出版翻訳する価値があるの?」

原書への思い入れが強いと、「早くこれを翻訳して世の中に届けたい!」と思ってしまいます。だけど出版翻訳したとして、本当に読者がいるのでしょうか。世の中に新しい価値を提供できるのでしょうか。

たとえば、料理の本を翻訳したいと思って、気に入った原書を見つけたとします。もしそれが芸術的な料理を眺めるための写真集で、原書のままで楽しめるとしたら、翻訳のニーズはないですよね。

あるいは、調理法についての本で、関連書がすでに多数出版されていたら、やはり翻訳のニーズはないでしょう。けれども、その調理法の最新事例を網羅しているなどの新規性があれば、ニーズはあるでしょうし、関連書が多いことも市場があるという裏づけになりますよね。

翻訳したとして読者がいるだろうか、自分だったら読みたいだろうか、今の世の中に提供できる価値があるだろうか……と考えてみてください。

『パーソンセンタードケアで考える認知症ケアの倫理』も、原書は刊行時に取り寄せていたものの、翻訳を検討した時には十年ほど経過していました。なのにその時点で読んでも、内容がまったく古くなかったのです。「十年経っても陳腐化しないものなら、今後十年は読み続けてもらえるだろう」と考えたことが、翻訳する背中を押してくれました。

最新の情報というのは、どうしても陳腐化するのも早いものです。もちろん、最新情報を読者に届けるのは意義のあることですが、翻訳のために注ぐエネルギーを考えた時、「今後十年、二十年経っても価値が損なわれずに読んでもらえる」という、時間軸に耐えられることもひとつの指標になるのではないでしょうか。

そのうえで何より大切なのは、自分がその原書に惚れ込めること。一冊の本を訳して世の中に送り出すのは、本当に大変です。「こんなに大変なのか……」「こんなに手がかかるのか……」ときっと思うはず。エネルギーものすごく消耗します。それを乗り越える力になるのが、原書への愛情です。それだけの気持ちを持てるものを見つけてくださいね。

七つの行動③～版権を仮押さえする

自分が手がけたい原書が見つかり、出版翻訳する価値があると思えたら、実際の出版に向けて動いていきましょう。

時には「すごくいい原書を見つけて、手がけたいと思ったら、すでに出版翻訳されていた」ということもあります。そもそもの確認を忘れずに！　正式には原書の出版社に問い合わせることになりますが、手軽に確認するには、Amazonなどのオンライン書店でタイトルを検索しましょう。すでに出版翻訳されていれば、日本語版も検索結果に表示されるはずです。

幸いにまだ手つかずだった場合、三つ目の行動に移りましょう。原書の「版権（日本で出版翻訳する権利）を仮押さえする」のです。

正式な版権交渉は、個人が連絡してもまず取り合ってもらえません。日本で出版社を見つけて、そこからエージェントを通して原書の出版社に交渉してもらうのが基本です。ただし、口約束でも、「あなたに翻訳を頼みます」という言葉を原書の出版社から取りつけることは可能ですし、そうしておくのがいいでしょう。日本の出版社が版権を取得しても、あなたにその翻訳の仕事が回ってくるとは限らないからです。「この手の本はいつも◯◯さんという翻訳家に頼んでいるので、あなたにはお願いしません」ということになりかねません。

せっかく苦労して見つけた、思い入れのある原書。それを日本で出版できそうなところまで来たのに、自分で翻訳が手がけられない……それはとても悲しいことだと思います。

そうならないために、たとえ口約束でも、版権を仮押さえしておきましょう。

そのための方法のひとつが、原書の出版社に交渉することです。私も実際、『なにか、わたしにできることは？』の原書を見つけた際、出版社に交渉しました。ブックフェアの会場で、原書の出版社の方がその場にいらしたので、「この原書がとても気に入ったので出版翻訳したいと思います。日本で出版してくれるところを探してきますので、見つかったら私に翻訳させてください」と申し出たのです。けれども出版社を見つけるのは容易ではなく、かなり時間がかかってしまいました。翌年に同じブックフェアが開催された際、まだ出版社は見つかっていませんでした。そこで担当者に、「私はあれからずっと日本で出版社を探していますが、まだ見つかっていません。でも必ず見つけますから、待っていてください。そして私に翻訳させてください。他のところに話を持っていかないでください」とお願いしたのです。

出版翻訳が実現するまでには結局三年かかりましたが、自分で見つけた思い入れのある原書を手がけることができ、交渉した甲斐がありました。

どれだけ融通をきかせてくれるかは原書の出版社次第ですが、自分の熱意を見せることが大切です。原書の出版社の方に直接会えなくても、メールなどで「これを翻訳したい」と伝えておくことには意味があると思います。自分がいかにその原書に惚れ込んでいるかプレゼンをして、それを動画で送ることだってできるでしょう。たとえすぐに話が動かなくても、タイミングが来た時に、「そういえば、こんなアピールをしてきた人がいたな」と思い出してもらえるはずですよ。考えられる手を打っていきましょう。

原著者にコンタクトを取る

版権を仮押さえするためのもうひとつの方法が、原著者にコンタクトを取ることです。原書に著者の連絡先情報が記載されている場合もあります。たとえそこに情報がなくても、今の時代であれば、著者のサイトやSNSを通じて連絡が取れるでしょう。それらを活用して、「あなたの本を翻訳したい」と著者に伝えておくのです。

『ハリー・ポッター』(J・K・ローリング/静山社)シリーズの翻訳を手がけた松岡佑子さんも、ご自身で著者に翻訳を申し出たそうです。作品に惚れ込んで熱意を伝えたことが、著者の心を動かしたのでしょう。

104ページのインタビューにあるように、笹根由恵さんも、著者にコンタクトを取りました。個人的な信頼関係ができたうえで、日本で出版できるところを探し始めたのです。

これは著者の立場になって考えてみるとわかりやすいと思います。著者にとって、自分の著作はとても大切な、自分の分身に等しい存在です。だからそれが外国で出版翻訳されるとなった時、「誰がそれを一番大事にしてくれるだろう？」と考えるのです。

上手にプロモーションをしてたくさん売ってくれることも、もちろん魅力ではあります。だけど創作に関わる人間であれば、その創作物の価値を損なうことなく、きちんと伝えてくれることをやはり大切にします。相手がそれを任せるに値するのかという、信頼の問題になるのです。

相手が大手出版社であれば、それは判断材料のひとつになるでしょう。でもそれよりも、しっかりと翻訳してくれるのか、つまり「誰が翻訳するのか」が気になるところでしょう。そこで翻訳家が自分にコンタクトをしてきて、作品に思い入れを持ってくれていて、ぜひ自分がやりたいと言ってくれている、となればやはり心が動くものです。

著者の強い意向があれば、たとえ日本の出版社が他の翻訳家を検討していたとしても、やはり著者の意向が尊重されます。ですから先々のことを考えて、原著者にあらかじめコンタクトを取ることもひとつの方法です。

こうして信頼を得たら、いよいよ日本で出版してくれるところを探していきましょう。

七つの行動④～企画書をつくる

七つの行動の四つ目は「企画書をつくる」です。あなたが出版翻訳したい原書がどんな本なのかを伝えるために、企画書をつくりましょう。

原書を出版翻訳するには、日本でそれを出版してくれるところを見つける必要があります。そのために編集者に見せる資料が、この企画書です。

まず知っておいてほしいのは、編集者はとても忙しいということ。大量の書類に目を通す時間はありません。あなたが分厚い資料を「見てください」と渡しても、目を通してもらえないでしょう。企画書はA４で一枚から二枚にまとめるようにしてください。

もちろん、必要とされた際に提示できる情報は多いに越したことはありません。「ここをもっと詳しく知りたい」と言われた時に渡せる補足資料は用意しておきたいですが、企画書としてはあくまでも一枚から二枚におさえるようにしましょう。

注意してほしいのは、「企画書は単なる情報のまとめではない」ということ。どうして企画書をつくるのかといえば、その原書を「面白そうだ」「役に立ちそうだ」「ぜひ日本で出版したい」と編集者に思ってほしいからですよね。だからそう思ってもらえるような、心に響くものにしてほしいのです。

企画書のフォーマットは、各社それぞれ違います。編集者が「これをやりたい」と思えば、社内の会議にかける際は社内用のフォーマットに直してくれることが大半です。そのたたき台となるような、基本的な項目を網羅した企画書をつくりましょう。

企画書に必要な項目は、以下のようになります。

①原書名　②タイトル案
③書籍概要　④対象読者
⑤仕様　⑥著者プロフィール

⑦訳者プロフィール
⑧監修　⑨類書

それでは、具体的な項目を一つひとつ見ていきましょう。

原書名とタイトル案

まずは①原書名と②タイトル案です。私が翻訳を手がけた『パーソンセンタードケアで考える認知症ケアの倫理』の企画書（46、47ページ）では、次のようになっています。

①原書名
Ethical Issues in Dementia Care（認知症ケアにおける倫理的問題）
②タイトル案
認知症の難しい問題を考えるために知っておきたい大切なこと～パーソンセンタードケア

と倫理〜

原書名の後に括弧で直訳のタイトルを入れていますが、これとは別にタイトル案をつけています。直訳の「認知症ケアにおける倫理的問題」では硬すぎるからです。対象読者が研究者ならいいのですが、私はもっと広く介護に関わる方々に読んでもらいたいと思っていました。硬いタイトルでは「難しそう」と敬遠されてしまうかもしれません。

そこでタイトル案として「認知症の難しい問題を考えるために知っておきたい大切なこと〜パーソンセンタードケアと倫理〜」をあげています。すでに出版していた拙訳書のタイトルが『認知症の介護のために知っておきたい大切なこと〜パーソンセンタードケア入門』でしたので、関連する内容として読者に訴えられると考えたのです。

また、私がパーソンセンタードケアという認知症ケアの考え方を専門にしているため、この言葉を打ち出しています。これは、「本をその文脈に位置づける」ことでもあります（157ページの「コラム・裏技〜文脈をつくる」をご参照ください）。多くの本がある中で、どんな部類の本なのかをわかりやすくして日本の読者に伝える工夫が、すでにタイトルのところでも始まっているのです。

最終的には、『パーソンセンタードケアで考える認知症ケアの倫理』と、「パーソンセン

 タードケア」の言葉を活かす形で決まりました。

タイトル案の考え方として、ビジネス書であれば、その分野でよく検索される言葉を盛り込む方法もあります。オンライン書店で本を購入する方も多いので、検索ワードからたどり着けるようにしておくのです。

小説などの場合、原書と日本語版のタイトルがまったく違うこともあります。翻訳を進めながらタイトルによさそうな言葉をメモしておいて、それを提案するのもいいでしょう。

たとえば、私の手がけた『虹色のコーラス』（リュイス・プラッツ／西村書店）というスペインの小説は、原書のタイトルを直訳すると「コリニョンさんの小さなコーラス」です。作品中では子どもたちの「虹のコーラス」がたびたび登場しますので、このコーラスグループの名前を取り、さらに強調する意味で「虹色」としています。「コリニョンさんの小さなコーラス」だと海外文学を好きな方は興味を持ってくれるかもしれませんが、読者層は狭かったかもしれません。「虹色のコーラス」とすることで、より広い読者層に訴求できたのではと思います。このように作品の中の印象深い単語をタイトル案に使うのもいいでしょう。

編集者の興味を引き、読者に「読んでみたい」と思わせるタイトルをぜひ見つけてみてください。

書籍概要と対象読者

企画書に記載する項目を、引き続き見ていきましょう。次は、③書籍概要です。あなたが選んだ原書がどんな本なのかをここで伝えてください。目次や翻訳サンプルなどの詳細情報は別途用意するので、ここでは概要を説明してください。

注意してほしいのは、この項目は単なる内容のまとめではなく、本の魅力をアピールする箇所だということ。文芸書であれば「○○文学賞を受賞している」とか、ビジネス書であれば「この分野でアメリカのAmazonで一位になった」など、「本国でこんなに有名な本で、多くの読者がいます。日本でも多くの読者がいるはずですよ」と伝えてほしいのです。

自分がなぜその原書に惚れ込んだのかを伝えることももちろん大切ですが、それだけではなく、客観的な価値を伝えられるようにしましょう。たとえば、流行の調理法についての本だとしたら、その調理法が取り上げられた雑誌記事やニュースなどの資料も用意しておきましょう。編集者に企画書を見せて説明する際に紹介できるよう、別にまとめておくのです。

原書の本国のメディア掲載情報もいいのですが、日本のメディアに取り上げられた資料のほうがインパクトがあります。「日本でもこんなに話題になっています」と伝えられるからです。このようなメディア掲載があれば、「○○誌に掲載」「○○ニュースで取り上げられる」と書籍概要の中にも記載しておきましょう。

目次とサンプル原稿は別途用意します。目次は補足資料として企画書の三枚目に収まるならそれでいいのですが、量が多すぎる場合は別の資料としてまとめておきましょう。目次の項目名についても、タイトル案同様、興味を惹くように工夫してみてください。

では、サンプル原稿はどれくらい用意すればいいのでしょうか？

もし絵本のように薄手のものであれば、一冊全部用意しておきましょう。原書の文章の上に訳文を貼りつけて、日本語の絵本のように読めるようにしておくと、仕上がりのイメージも湧きやすいです。

分量が多い場合は、一章分、十ページから二十ページ程度あればいいでしょう。というのは、翻訳のトーンが大幅に変わることもありうるからです。どういう読者層を想定するか、あなたの考えと編集者の考えが違うかもしれません。また、あなたは「である」調で訳そうとしていたのが、編集者から「ですます」調で、もっとやわらかいトーンで訳してほしいと求められるかもしれません。すべて訳してあると、手を入れるのが大変になってしまいますので、一章分あれば十分です。

中には、翻訳のペースが遅いので一章分しか手元にないと不安だという方もいるかもしれません。その場合に、企画書を持ち込む一方で翻訳を進めていくのは構いません。また、ある程度まとまった分量を見せることで熱意も伝えられるでしょう。実績もないし、翻訳を任せてもらえるか自信が持てないのであれば、一冊全部訳して持ち込むのもアピールにはなるでしょう。

続いて④対象読者です。どういう方がその本を読んでくれるのか、考えてみてください。特定のニッチな層に向けた本なのでしょうか、それとももっと広く一般に読まれることを想定しているのでしょうか。読者の性別や年代などの属性を記載しましょう。

読者が高校生の場合と、年配の方の場合とでは、使う言葉も変わってきます。具体的な読者像が見えてくると、翻訳もしやすくなります。「こういう方が読んでくれる」と思うと、「その方に伝わりやすい言葉は何だろう?」と、翻訳をするうえでも判断基準ができてきます。

また、気をつけなければいけないことも見えてきます。私の場合であれば、認知症ケアの本の読者は実際に介護をしている方が大半です。大変な思いをしながらがんばっているのに、「そのやり方は間違っている。それでは状態が悪化する」とダメ出しをしたり、脅したりする言葉を使えば、読者の気持ちを傷つけてしまいます。

逆に、読者をあおって行動の変化をうながす自己啓発書なら、危機感を持たせる言葉をあえて使うことになるでしょう。

実際にあなたの身の回りにいる方を思い浮かべて、読者像を具体化していきましょう。

【訳者プロフィール】
寺田真理子（てらだまりこ）
長崎県出身。東京大学法学部卒業。日本読書療法学会会長。パーソンセンタードケア研究会講師。日本メンタルヘルス協会公認心理カウンセラー。
著書に『うつの世界にさよならする100冊の本』(SBクリエイティブ)、『パーソンセンタードケア講座』（全国コミュニティライフサポートセンター)、訳書に『認知症の介護のために知っておきたい大切なこと』(Bricolage)『介護職のための実践！　パーソンセンタードケア』（筒井書房）など多数。

【監修】
○○氏

【類書】
① ○○○○○○○○（著者名、出版社名、定価）
② ○○○○○○○○（著者名、出版社名、定価）

①はイラストをあしらった手に取りやすいカバーで内容もしっかりしているが、組版が原因で読みづらさがあるほか、参考論文の記載が各章ごとにあるなど、どうしても専門書の色彩が強く一般的な読み物になりづらい。
②はあくまでもテキストという体裁のため専門職しか手に取らないと思われる。

本書は事例が豊富なため、事例の箇所をコラム風に組んでいくことで読みやすい読み物として読者に提示できる。

【原書名】
Ethical Issues in Dementia Care（認知症ケアにおける倫理的問題）

【タイトル案】
認知症の難しい問題を考えるために知っておきたい大切なこと
〜パーソンセンタードケアと倫理〜

【書籍概要】
認知症ケアにおいては、告知をするべきか、胃ろうにするべきかなど介護者にとって悩ましい問題が少なくない。そんな問題に直面した時にどのように考えていったらいいのか。本書は「考える道筋」を豊富な事例と共に丁寧にたどっていく。マニュアル的な回答を手軽に与えるのではなく、本質的な考え方を身につけることで、あらゆる状況に遭遇した際に自分が考えるためのよすがとなる。
※目次は3ページを参照。

【対象読者】
主にヘルスケアワーカーとソーシャルケアワーカー。だが、認知症ケアに関わる人全般に広く読める内容のため、介護者全般を想定。

【仕様】
A5判あるいはA5判変型、予価1300円、208ページ

【著者プロフィール】
Julian C. Hughes（ジュリアン・C・ヒューズ）
ノースタウンサイド総合病院の老年精神科医。ニューキャッスル大学高齢者健康研究部門の名誉臨床上級講師。2006年現在、英国精神科医会哲学分科会委員長。2003年には認知症の生活の質を検討するウェルカムトラストの短期特別研究員も務めた。

Clive Boldwin（クライヴ・ボールドウィン）
ブラッドフォード大学ブラッドフォード認知症グループの上級講師。高齢者認知症グループのクリスチャン委員会メンバーとして資金調達やコンサルティングなど民間でも積極的に活動。

両著者ともEthox（オックスフォード大学）における認知症の人の家族介護者のための倫理問題の研究に従事した。

仕様と著者プロフィール

引き続き、企画書の具体的な項目を見ていきましょう。

⑤仕様には、本の体裁を記載します。ビジネス書や専門書はA5版、文芸書は四六判が多いかと思います。図鑑のように大判のものなど様々なサイズがありますが、A5版と四六判が大半です。この判型と合わせて、予価、つまり予定価格とページ数を記載します。最終的には出版社が決めることですので、企画書の段階で仕様の情報はなくても構いませんが、できれば実際に書店に足を運んで類書を調べ、「この原書が実際に店頭に並ぶ時にはどんな本になるだろう」と想像してみてほしいのです。すると自分の中に「こんな本ができるんだ」と最終的なイメージが明確になるので、それ自体が励みになります。また、そのイメージを編集者と共有できることが、話を進めるうえでも役立つでしょう。

実際には、原書のページ数がとても多いのでかなり削って薄手の本にしなければいけない場合もあるかもしれません。あまり厚手の本だと読者に敬遠されがちですし、紙代などコストがかさんで本の価格自体も高くなってしまうからです。せっかく翻訳したものを削るのはつらいことですが、そういう事態に備える心構えとしても、ページ数や価格をあらかじめ考えてみておくといいでしょう。

次は、⑥著者プロフィールです。原書の著者がどんな方なのか、編集者に伝えましょう。著者プロフィールはたいてい、原書の裏表紙やカバーの折り返し部分に記載されています。そこに記載がない場合でも、原書の出版社のサイトや著者のサイト、あるいは所属団体に見つけられるでしょう。

この際に、編集者の目に留まる情報を盛り込むことです。著名人であれば、それだけで「この方の本なら出版しましょう」となるかもしれませんが、実際にはそうではないことが大半です。

そこで③の書籍概要で本の魅力をアピールしたのと同じように、ここでは著者の魅力をアピールしていきましょう。たとえば何か受賞歴があれば「○○賞を受賞」と記載します。主要なメディアで取り上げられたことがあればそれも記載します。他にも、SNSで多数のフォロワーがいるなどもアピール材料になるでしょう。そういう情報を盛り込んで、編集者に「この著者の本ならぜひ読みたい」と思ってもらえる著者プロフィールをつくってください。

監修と類書

企画書のつくり方も、いよいよ大詰めです。⑦の訳者プロフィールについては、追って詳しく説明します。先に、⑧監修と⑨類書を見ていきましょう。

まずは⑧監修です。監修者をつけることも考えてみましょう。監修者の役割は、翻訳の際に訳者から出てくる質問に答えたり、専門知識を補強したりすることです。語学という観点から翻訳をチェックする「監訳」ではなく、内容についての監修ですので、その分野の専門家にお願いすることになります。

初めての翻訳書となるとわからないことも多々ありますから、質問できる存在は心強いものです。編集者にとっても監修者の存在が安心材料になりますし、監修者が著名な先生であれば、読者にも安心感を持って手に取ってもらえるでしょう。心当たりのある方がいれば、監修者として名前をあげておくことも、企画を通しやすくするひとつの手段です。

次は⑨類書です。出版翻訳したい本と類似の本がどれだけあるかを調べましょう。「類書がある」ということには、二つの側面があります。まずひとつは、それだけ市場があるということ。類書が出版されているのは、読者がいる証拠です。だけどもうひとつの側面として、すでに出尽くしてしまっていることにもなります。さらに出す意義があるのか、そこが問われるのです。

まずは、市場が存在することを示す意味で、いくつか類書をあげてみましょう。そのうえで、新しく出す意義を示すために、類書と差別化をしてほしいのです。たとえば、これまでの本は専門職に向けたものだったけれど、今回は広く一般に読んでもらえる本であるとか、これまでの本はすでに情報が古くなっているけれど今度の本は最新情報を盛り込んでいる、という具合です。そうやって類書と差別化することで、出す意義を訴えていきましょう。

七つの行動⑤～プロフィールをつくる

企画書の中で、ひとつ残している項目がありました。それが⑦訳者プロフィールです。

ここでいよいよ七つの行動⑤「プロフィールをつくる」の出番です。

まず考えてほしいのは、何のためにプロフィールをつくるのかということです。それは、編集者が見た時に「この人に翻訳をお願いしたい」と思ってもらうためです。あなたが翻訳を担当するのにふさわしい人物なのだと、ここでアピールしてください。

「実績が豊富な人がどうしたって有利なのでは……自分にはとても無理」と思ってしまうかもしれません。だけど翻訳家としての実績があればそれで十分かといえば、そうとは限らないのです。

たとえば、選んだ原書が料理の本だとします。ここで二人の翻訳家が候補にあがりました。一人は、これまで経済関連の書籍を多数手がけてきたベテラン翻訳家の六十代男性。自分では料理らしい料理はしたことがなく、つくれるものといえばカップラーメンくらい。もう一人は、翻訳実績はないけれど語学は結構できる三十代女性。料理研究家として豊富な知識と経験があります。専門家なので、原書を読めばそれがどんな料理か、どんな調理方法か詳しく理解できます。さて、あなただったら、どちらに翻訳を頼みたいですか。

やはり、後者に頼みたいと思うのではないでしょうか。そのほうが内容に深く踏み込んで、しっかり理解したうえで翻訳してくれると期待できるからです。もちろん前者もプロですから、仕事として受ければきちんと勉強して対応するはずですが、後者はすでに必要な料理の勉強ができているのです。長年の経験から生まれる言葉や表現のほうが、付け焼刃の勉強よりも説得力がありますし、読者にも届くでしょう。

ですから、たとえ翻訳実績が十分ではなくても、その不足を補って余りある専門分野の知識や経験があれば、それをアピールすることで翻訳家として選ばれるチャンスがあるのです。どうすればあなたに翻訳を頼むのがふさわしいと思ってもらえるか、その観点からプロフィールをつくってみましょう。

何をどうアピールすればいいの?

あなたに翻訳を頼むのがふさわしいと思ってもらうために、経歴を見直してみてください。単なる履歴書のようなプロフィールは求められていません。その本にふさわしい実績や専門知識を持っていることをアピールしてほしいのです。

料理の本であれば、調理師免許などの資格を持っていることも関係してきます。そこまでではなくても、「料理が大好きで料理関係の本を百冊は持っている」というならそれもアピールになるでしょう。

「自分には記入できるようなことは何もない」と思ってしまうかもしれません。だけどその原書を選んだということは、あなたのこれまでの人生の中に、その原書に関係する要素が必ずあるはずなのです。それをていねいに探してみてください。そして実績として捉え直してみてください。

また、心理的な理由も大きなアピールになります。料理の本を選んだのが「単に料理が好きだから」というだけなら、同じ理由の方は多くいるでしょうから、アピールとしては弱いです。けれども「大きな病気を経験した際に食事の見直しをして、そこから料理にすごく興味を持って、色々と気を遣って料理をするようになって病気を克服できた」というなら、強くアピールできます。

また、「幼少期に海外に住んでいて、なかなか現地の文化になじめなかったけれど、あるホームパーティーに招かれて、そこでの料理がすごくおいしかった。その時にはじめてその国に受け容れてもらえた気がした。だから自分も料理を通して他の国との懸け橋になりたい」という思いを持って取り組んでいれば、これも強力なアピールになります。こういう心理的な理由もていねいに探ってみてください。

まじめな方や、自己評価の低い方は、たとえば十あるうちすでに五はできているのに「自分には一しかない」と思って一しか表現しないことがあります。一方で世の中には、同じように五なのに、それを十あるかのようにアピールする方もいます。

五あるのに一しかないと思ってしまう、その奥ゆかしさは人間的な魅力ではありますが、アピールが必要な場で遠慮がちな行動のせいでみすみすチャンスを逃してしまうのは、とてももったいないことです。そういうタイプの方は、「これでは自分の経歴はかなり〝盛ってる〟のでは?」と思うくらいが、きっと客観的には正しい自己評価なのでしょう。謙遜しすぎることなく、あなたの持っているものを最大限にアピールしてくださいね。

【コラム】「まじめ」の罠

あなたは、まじめですか?

出版翻訳家を目指しているくらいですから、きっとまじめなのでしょう。かくいう私も、まじめです。自分でも「なにもこんなことまで四角四面にやらなくても……」とあきれつつ、自分で自分にツッコミを入れつつ、でもそうしないと気がすまないのでまじめにやってしまうのです。

もちろん、まじめなことは、悪いことではありません。出版翻訳の仕事は調べものも多いですし、まじめであることは適性のひとつです。だけど、そのまじめさがかえって裏目に出てしまう場面もあるのでは……そう考えていたところ、名翻訳家として知られる東江一紀さんの『ねみみにみみず』（作品社、二〇一八）にこんな文章を見つけました。

「文芸翻訳を志す人には、まじめなタイプが多い（という話を聞いたことがある人を知っているような気がする）。それはたいへん結構なことだ。基本的にまじめじゃないと、こんな辛気くさい商売、やっていけません。

でも、まじめさが高じて〝悲壮〟の域に達してしまうと、こりゃ危ない。悲壮感には、視野を狭める働きがあるのだ。（中略）目の前のものしか見えなくなる」

視野狭窄に陥ってしまうのは、「まじめ」の罠のひとつでしょう。そうなると、自分の置かれている状況を俯瞰することも、自分を客観視することもできなくなってしまうのです。

先日も、ある著者と話していてこの話題が出ました。彼は著者デビューする前に、編集者と知り合う機会があったそうです。まわりも全員著者志望者でしたから、「自分をいかに売り込むか」しか頭になかったそうです。そんな中で彼は、「この編集者はどんな人と仕事がしたいだろうか」と考えたのです。まさに真逆の発想ですよね。

相手がどんな人と仕事をしたいかを考え、そういう人に自分がなってしまう。そうすれば、当然ながら選ばれる可能性は格段に高まるわけです。実際、彼は著者デビューを果たすことができました。まじめなだけだったら、こういうアプローチをとることはできないでしょう。むしろ自分の企画を一方的にプレゼンし続けて、相手は嫌気がさしているのに気づかない……なんていうことになりかねません。まじめであるがゆえに、人間力が磨かれないままになってしまうのです。

まじめに勉強に取り組むことは大切ですが、そこにかける時間が長いほど、他のことに時間をさけなくなるのも事実です。その時にこの「まじめ」の罠に陥らないようにしてください。

『ねみみにみみず』には、こうも書いてあります。

「視野を広く持って、伸びやかに、フットワーク軽く、修行に励んでほしいなあ」
「進行方向だけではなくて、周りの風景にも目を配り、最終的には、そういう自分の姿を客観的に眺められる余裕が、ぜひとも欲しいですね」
「そうやって、主観と客観、重さと軽さのあいだを行き来できれば、翻訳作業は立体的になる。少なくとも、楽しいよね。楽しいことは長続きする」

悲壮になることなく、楽しく歩んでほしいと思います。

そして、「まじめ」にはもうひとつ大きな罠があります。「まじめ」にがんばるほど、自分の本来の形がわからなくなってしまう。あるべきものばかりを追求して本来の姿から離れてしまい、生きものとしての自分の魅力をそいでしまうのです。

彫刻家の高村光太郎の著書『触覚の世界』（青空文庫、Kindle版）に、こんな記述があります。

「世上で人が人を見る時、多くの場合、その閲歴を、その勲章を、その才能を、その思想を、その主張を、その道徳を、その気質、又はその性格を見る。

彫刻家はそういうものを一先ず取り去る。奪い得るものは最後のものまでも奪い取る。そのあとに残るものをつかもうとする。其処まで突きとめないうちは、君を君だと思わないのである。人間の最後に残るもの、どうしても取り去る事の出来ないもの、外側からは手のつけられないもの、当人自身でも左右し得ぬもの、中から育つより外仕方の無いもの、従って縦横無礙なもの、何にも無くして実存するもの、この名状し難い人間の裸を彫刻家は観破したがるのである」

ここで言う「人間の最後に残るもの」、「人間の裸」こそ、人の本質だと思うのです。それは醜かったり、歪んでいびつだったりするかもしれません。だけど、自分が固有に備えているものだからこその力があります。人間には磁力のように他者を引きつけて、影響を与えていく力があるものです。それはその方が本来の形にある時に強く発揮されますが、自分でその形を見失ってしまっては発揮することができません。

　自分に合った分野を見極めるのも、自分が続けやすい勉強法を生み出すのも、自分が訳すべき原書に出逢うのも、自分ならではの訳文を創り上げるのも、そして仕事につなげていくことも、すべて自分の本来の形がわかっていれば、すんなり運んでいくはずのこと。それが「まじめ」にがんばって「こうしなければ」「こうでなければ」となればなるほど、空回りしておかしくなってしまうのです。

　あなた本来の魅力を損なうことなく、あなたに合ったやり方を見つけていってくださいね。

※東江一紀さんの文章は、あえて駄洒落の部分は省いて引用しています。『ねみみにみみず』は名翻訳家のイメージを木端微塵にする（?）駄洒落のオンパレードなので、原文は同書でご確認くださいね。読み進めるほどに「近寄りがたい偉大な先生」が、気のいいおじちゃんに感じられてきます。136ページのインタビューに登場する越前敏弥さんが編集されていますよ。

七つの行動⑥～実績をつくる

「これまでの経歴を振り返ってみたけれど、アピールできるものが見つからない」という方もいるかもしれません。その時、たいていの方は「自分には実績がないからやっぱりダメなんだ」とあきらめてしまいます。いわば「実績の壁」に突き当たってしまうのです。

せっかく企画書をつくってきたのに、ここであきらめてしまうなんて、もったいない！そこで七つの行動⑥「実績をつくる」の出番です。「ない」と言ってあきらめてしまうのではなく、「ないなら、どうやってつくっていくか」を考えましょう。

実績をつくるには、二つの方向があります。まずひとつ目は語学面での実績。そして二つ目が専門知識、つまり原書に関連する内容についての実績です。

ひとつ目の語学面の実績について考えてみましょう。もしあなたが翻訳学校で勉強してきたのなら、勉強してきた事実も立派な実績です。さらに、どんな些細なものでもいいので、これまで翻訳したことがあれば、それも書き出してみましょう。

あなたのまわりで翻訳の仕事を募集していれば、それに応募してください。募集がない、あるいはレベルが高すぎる場合には、ボランティアでも構いません。翻訳を実際にやってみましょう。

たとえば知人がお店を経営していて、サイトが日本語しかないので英語版がほしいなら、手伝ってあげるのもいいでしょう。友人が好きな俳優の情報が英語でしか入手できないなら、日本語にして教えてあげるのもいいでしょう。ちょっとした翻訳のニーズは、まわりにたくさんあるはずです。そのニーズを汲み取って、実際に翻訳を手がけていきましょう。もしまわりでは見つからなくても、SNSを使ってニーズを見つけることができるでしょう。数をこなして、実績をつくるのです。

二つ目の専門知識についても見ていきましょう。たとえば料理の本であれば、あなたが「料理教室の先生」だったら、専門家として任せてもらえる可能性が高くなりますよね。だったら「料理教室の先生」になってしまえばいいのです。

「先生なんて自分には……」と思うかもしれませんが、もう少し気楽に考えてみてください。友人四、五人を家に呼んで、得意料理ひと皿を教えるだけだったら、できそうですよね？　一回だけなら単なるイベントで終わってしまいますが、もしそれを十回くらい定期的に開催すれば、あなたは「料理教室の先生」といえるのではないでしょうか。

得意料理の写真をＳＮＳに載せるのもいいでしょう。多数のフォロワーを獲得できれば、それもプロフィールに記載できます。

要は、発想を変えるということです。「実績がないからダメだ」と自ら可能性の扉を閉ざしてしまうのではなく、「実績がないなら、どうすればつくれるか」を考えてほしいのです。そして、あきらめずに一つひとつ、実績をつくっていきましょう。

七つの行動⑦～出版社に持ち込む

実績を備えたプロフィールを記載し、企画書が完成したら、いよいよ最後の行動をとる時です。

サンプル原稿と一緒に、企画書を出版社に持ち込みましょう。

まずは、どこに持ち込むかを考えます。企画書をつくる時に、50ページで「類書」を検討しましたよね。あなたが出版したい原書と類似の本を調べたはずです。その類書の出版社を候補に考えましょう。類書を出しているなら、あなたの企画書に興味を持ってくれる可能性が高いからです。

持ち込む時に大切なのは、「伝手をたどる」ことです。編集者はとても忙しいため、持ち込み企画には目を通さない方が大半です。だけど知人からの頼みなら、目を通してくれます。"know how"ではなく"know who"、つまり誰を知っているかが大事だと言われるように、知人からの紹介だとやはり扱いが変わってくるのです。直接飛び込んでしまう前に、誰かその出版社に伝手がないかを探してください。

直接の知人がいないと、「そんな伝手なんてありません！」と思うかもしれませんが、その時は七つの行動⑥「実績をつくる」で学んだことを思い出しましょう。伝手を探す、伝手をつくるということを考えてほしいのです。実際、自分の知人にはいなかったけれど、知人の知人が目当ての出版社で働いていた、というケースもあるのです。

「六次の隔たり」といって、知人をたどっていくと六人目までにはつながりたい相手とつながれると言います。何人かを介することで、自分が会いたい人物に会えるのです。

「ReFa CARAT」という美容器具で知られる株式会社ＭＴＧは、サッカー選手のクリスティアーノ・ロナウドや歌手のマドンナとコラボレーションをしています。最初は何の伝手もなく、コラボレーションをしたいと言っても、「何をバカなことを言っているんだ」と片づけられていたそうです。

そこでどうしたかというと、それぞれの国、つまりポルトガルとアメリカに行って、「ロナウド知らない？」「マドンナ知らない？」と街角で通りすがりの人に声をかけていったのです。最初はやはり「バカなことをしている人がいるな」という目で見られていたのですが、それを続けていって、とうとうそれぞれ一年半から二年後には契約にこぎつけることができたのです。

海外の著名人とすら、何もないところからスタートしてちゃんとつながることができるわけですから、国内にいる編集者とつながるチャンスははるかにたくさんあるでしょう。他にも、目当ての出版社でバイトを募集していれば、応募して内部に入ることだって考えられます。その出版社の近くに編集者が通いそうなカフェがあれば、そこで知り合うこともできるでしょう。いくらだって方法はあります。

まずは、伝手を探して、つくって、その伝手をたどって持ち込みましょう。

直接持ち込む

どうしても伝手が見つからない場合には、直接持ち込むこともできます。

出版社のサイトを見てみましょう。「企画の持ち込みを受け付けています」と明示している出版社もあります。その場合は、応募規定も記載されているはずですので、よく確認して、規定に合わせて応募しましょう。

「持ち込みは一切受け付けていません」と記載している出版社も多いです。特に記載がなく、受け付けているのかどうかわからない出版社もあります。不明な場合は、送ってみるのもひとつの手です。ただし、ただ送るのではなく、「どうしてその出版社に送ったのか」がわかるようにして送ってほしいのです。

たとえば、「自分が手がけたい原書にすごく通じる類書があった。この出版社なら原書の内容をきちんと理解して出してくれると思った」ということなら、その思いを文章にまとめ、企画書に添えて原書と一緒に送りましょう。

もし類書に担当編集者の名前が記載されていれば、その方宛てに送ることができます。

名前がわからない場合でも、〝『〇〇（書名）』のご担当者さま〟と個人を特定できるようにして送りましょう。そうすれば、相手も「自分の仕事をちゃんと見たうえで連絡をくれたんだな」とわかりますので、あなたの企画書に目を通してくれる可能性も高くなります。

私も、『なにか、わたしにできることは？』というスペインの絵本は、伝手がなかったので直接持ち込みました。その出版社もスペインの絵本を出版していて、内容も、大人向けともいえる重いテーマを扱ったものでした。「こういう絵本を扱っている出版社なら、検討していただけるのではないか」と考えて持ち込んだのです（92ページの西村安曇さんのインタビューにその時の話が登場します。あわせてご参照ください）。

単に送るのではなく、「どうしてそこを選んだのか」がわかるようにして送りましょう。相手の反応も違うはずです。

送るのは基本的に郵送です。一週間ほど経っても特に連絡がない場合は、メールや電話で「こういう書類をお送りした者ですが、届いていますか」と確認しましょう。その際に「持ち込みはお断りしています」と言われてしまうかもしれませんが、検討してもらえるようであれば、先方も「確認してまたご連絡します」と言ってくれます。

最終的に返事をもらえるまでには、結構待たされることが多いでしょう。一か月ほどしても連絡がない場合は、再度確認してみることをおすすめします。

断られたら……

あなたの提案した企画が、検討の結果、出版社から断られることもあるでしょう。思い入れの強い原書ですし、プロフィールの作成など、大変な準備をして企画書をつくっただけに、断られるとものすごく落ち込んでしまうかもしれません。

実際には、断られるのは「よくあること」なのです。その時にやってほしくないのは、自分自身が否定されたかのように受け止めてしまうことです。

断られて落ち込む方は、「断られた」＝「自分を否定された」と捉えてしまうようです。ここでしっかり認識しておいてほしいのは、断られたのはあくまでもあなたの「提案した企画」であって、「あなた自身」ではないということです。

自己肯定感が低い方は、この区別があまりできておらず、自分自身が否定されたと受け止めてしまいがちです。しっかり別物だと認識しましょう。

もちろん、企画書に甘い点があったり、必要な情報が欠けていたりすれば、補う必要があります。それは補えばすむことです。

たいていの場合は、単にマッチングがうまくいかなかっただけのことなのです。企画内容と出版社の方針やタイミング、好みなどがたまたま合わなかった。ただそれだけのことです。たとえば出版社が力を入れようとしている分野と違っている、その原書はすでに検討してやらないことに決まっていた、手がけたい編集者はいるけれど多くの書籍を担当していてあなたの企画には手が回りそうにない、等々。だから落ち込まずに、その時間を次の出版社を探すことに使いましょう。

たとえば十社のうちに一社、あなたの企画書を求めている出版社があったとしましょう。その一社に最初から当たる場合もあれば、九社回って断られ続けて、最後でようやく当たる場合もあるのです。だから断られても「たまたまタイミングがうまく合わなかったんだな」と思う程度にして、落ち込む時間は最小限に抑え、次に向けて準備をしましょう。

128ページのインタビューに登場するベストセラー作家の植西聰さんは、自分で出版社に企画を持ち込むこともあったそうです。累計五百万部の実績があっても自分で持ち込みをすると知って驚きましたが、さらに驚いたのは、断られる場合もあったということです。それもやはりマッチングなんですね。たまたまその企画が相手の出版社の求めているものとは合っていなかっただけのことです。他の出版社だったら、通るかもしれません。

ベストセラー作家だって断られることもあるのですから、新人の企画が断られるのは何の不思議もありません。断られても重く受け止め過ぎず、次に進んでいきましょう。

【コラム】自信が持てない？

これは、女性向けのお話です。

これまでに多くの女性が「私なんて」「私なんか」と言うのを耳にしてきました。私から見ればとても優秀で、経歴も立派で実力も兼ね備えているのに、本人の自己評価がとても低く、自信が持てずにいるのです。

男性に比べて、女性は自信を持ちづらい傾向があるようです。オーストラリアで女性初のチーフ・ディフェンス・サイエンティストに就任したタニア・モンローさんにも、大学時代にカルチャーショックを受けた経験があるそうです。試験後、出来が悪かったと落ち込んでいる自分と対照的に、男子学生は自信たっぷりでした。実力がないと落ち込んでいたところ、結果は自分の成績のほうが上だったのです。そんな経験を繰り返すうち、女性は自信を持てないことが課題なのではと気づいたそうです。

このことは、『女に生まれてモヤってる!』(小学館、二〇一九)という、コラムニストのジェーン・スーさんと脳科学者の中野信子さんの対談本でも取り上げられています。中野さんはこう述べています。

「何か目標を達成したり仕事に成功したりしても、『私の実力ではなく、運がよかっただけ』と思い込んでしまうことを『インポスター症候群』というのですが、インポスター症候群は女性がすごく多いんです。男性よりも、女性のほうがこの心理を持ちやすい。本当は実力があるのに、『私なんて実力がないのにいいのかな』と罪悪感に苛まれてしまうのは圧倒的に女性のほうだ、という」

さらに、女性は「女らしさ」を社会的に求められてしまうために女らしくないと自信を持てない、だけど自信を持ってしまうとそれは女らしくないことになる、という考察がされていて思わず膝を打ちます。社会的な仕組みによって自信を持ちづらくなっていることに気づけば、自分を責めることもなくなるでしょう。

社会的に活躍されていて、一見すごく自信がありそうに見えても、「自分に全然自信がない」という方も意外に多いものです。自信はなくても生きていけるし、大きな仕事を成し遂げることもできるのですよね。

ただ、何か一歩を踏み出そうとした時に、自信がないために足が止まってしまうとしたら、とてももったいないと思うのです。せっかく「これは」と思う原書を見つけて、企画書をまとめて、あとは持ち込むだけという時に「私なんて」「私なんか」が邪魔をしてしまうとしたら……。そんな時に、「女性にはそういう傾向があるらしい」と知っていれば、行動が変わってくるのではないでしょうか。自己評価よりも、客観的な評価のほうがずっと高いはずです。体感的には、女性の自己評価は客観的評価の六割以下ではないでしょうか。だから自分では「こんな企画書じゃせいぜい六十点」と思っていても、人から見れば「素晴らしい！　百点！」となることもあります。そう思って、一歩を踏み出してもらえたらうれしいです。

名刺をつくる

伝手を使って持ち込む場合でも、直接持ち込む場合でも、あなたの企画書を編集者に見てもらえることになったら、まずは名刺を用意しましょう。

この名刺は単なる連絡先ではなく、プロフィールの場合と同様に、翻訳家としてのあなたをアピールする役割があります。「翻訳家」「翻訳」などの言葉とともに、専門知識のほうでアピールできることがあれば、あわせて記載しておきましょう。

たとえば料理の場合であれば、「料理研究家」などの肩書を入れておくことができます。オリジナルの肩書をつくることも考えられます。これは持ち込み先の出版社のカラーによっても変わってきます。

学術書などを扱う堅いカラーの出版社であれば、見慣れない肩書をつけていると、軽い人だと思われてマイナスになるでしょう。逆に実用書やビジネス書など手軽な読み物を主に扱っている、目新しいもの好きでやわらかいカラーの出版社であれば、面白そうだと目を留めてくれるきっかけになるでしょう。

もし「料理研究家」の代わりに「料理請負人」や「フードカウンセラー」「美食の女王」「グルメエバンジェリスト」といった肩書だったら、どうでしょう？　「どんなお仕事なんですか」と話を聞いてみたくなりますよね。

持ち込み先の出版社のカラーを見ながら、面白がってもらえそうだと判断したら、こんなふうにちょっと変わった肩書をつけてみるのもいいかもしれません。

また、出版業界の方は、紙質などにも関心を持っています。紙質がいいと、「いい紙を使っていますね」と反応があります。変わったデザインであれば、そこから話が弾むきっかけにもなります。料理であれば料理をイメージしたアイコンを入れるなど、印象に残る工夫をしてみましょう。

あなた自身を翻訳家として、またその分野の専門家としてアピールする……そのためのツールのひとつとして名刺を用意しましょう。

プレゼンのリハーサルをする

名刺の用意ができたら、プレゼンのリハーサルをしておきましょう。編集者は忙しい中、時間をとって企画書を見てくれるのです。その時に「この本はこんなにいい本で、出版翻訳するだけの価値があります」としっかり伝えられるように準備をしておきましょう。企画書を渡すだけでなく、その内容をきちんと口頭で説明できるようにしておくのです。どんな本なのか、業界ではどういう位置づけにあるのか、どんな読者が想定されるのか……自分の言葉で伝えられるようにしておきましょう。

周辺情報もあわせて用意しておきます。企画書で取り上げているのが料理好きの間では話題の調理法だとしても、編集者は知らないかもしれません。どんな調理法なのか、どれくらい話題になっているのか、把握できるようなニュース記事や雑誌記事を関連資料として揃えておくと、話が進めやすくなります。

どういう方向から質問がくるかわかりませんので、できれば周囲の方にお願いしてその企画書を見てもらい、疑問に思った箇所などを教えてもらいましょう。自分だけでは気づかなかったこともあるでしょうから、人に見てもらうことで十分な備えができます。

また、何か感覚に訴えるようなものがあれば、それも用意しましょう。たとえば調理法の中でちょっと変わった調味料を使うとすれば、それをプレゼンの時に持参して、見てもらったり香りをかいでもらったりするのです。82ページのインタビューに登場する岸山きあらさんは、使い込んだバレエシューズをプレゼンの場に用意しました。長年踊ってきたことがひと目で伝わるもので、ひとつの小道具が雄弁にバレエの実績を物語ってくれます。単なる書面だけではなく、このように視覚や嗅覚など五感に訴えるものがあると、印象に残りますし、プレゼンにも動きが出ます。

なにもTED（様々な分野の講演会を開催している団体）が主催するような世界的講演会レベルのプレゼンをする必要はありませんが、プレゼン次第で企画書の魅力を高めることができるのですから、いいプレゼンができるに越したことはありませんよね。

ぜひ十分なリハーサルをして実際のプレゼンに臨みましょう。

プレゼンをする

　十分にリハーサルをし、しっかり準備をしたうえで実際のプレゼンをしましょう。その際には、いい意味で、練習したことを忘れてください。「これも言わなきゃ、これも説明しなきゃ」と頭がいっぱいになってしまうと、相手の編集者が何を聞きたがっているのかに注意を払うことができないからです。

　あなたの企画書のどこに編集者が関心を持つかはわかりません。「この箇所に興味があるんだな。だったらこの情報を口頭で伝えてみよう」という具合に、相手の反応を見ながら、適宜追加すべきものは追加しましょう。相手の関心のないことに、余計な説明は要りません。関心のないことを長々としゃべっても、印象が悪くなるだけです。相手目線で判断してください。

　編集者はあなたの企画書を見ているだけではありません。企画が通ってあなたと一緒に仕事をすることになった場合のことも考えています。それなのに一方的に話してばかりでは、自分の都合しか頭にない人だと思われてしまいます。せっかく企画自体に関心を持ってもらえても、「一緒に仕事をしたくないな」という理由で断られてしまうかもしれません。一緒に仕事をしていく相手としてのあなた自身も見られていることを忘れずに！

もしプレゼンの結果断られたとしても、68ページでお伝えしたように、それはあくまでマッチングの問題にすぎません。あまり落ち込まないようにしましょう。

もちろん、ここまで来て断られると喪失感は大きいでしょうが、経験を積めたことは必ず次に活かされます。他の出版社に持ち込んで、別の編集者にプレゼンをする時には、きっと今回より上手にできるでしょうし、企画が通る可能性も高まるでしょう。

たとえ今回がダメだったとしても、意味がなかったわけではありません。たとえば、今回の編集者から別の件で「この間の企画はご縁がなかったけれど、こういう面白そうな原書があるから、この翻訳をやってみませんか」と依頼があるかもしれません。また、あなたが別の原書を見つけた時に、「御社に向いていそうな原書を見つけたのですが、こんな本はいかがですか」と提案することもできるでしょう。

どこでどう今回のご縁がつながってくるかはわかりませんから、たとえ断られた場合でも、企画を検討していただいたことへのお礼はていねいに伝えてくださいね。そして気を取り直して次に進みましょう。

「わかる」を「できる」に

断られたら、次に。また断られたら、また次に。そうやって企画が通るまで進み続けましょう。

どれくらい時間がかかるかは個人差があります。すんなり企画が通る場合もあれば、長年かかる場合もあるでしょう。私も、出版社を探し出してから三年ほど経ってようやく本になった経験があります。あきらめずに、気長に、企画が通るまで続けてくださいね。

ここまで読んでくれたあなたなら、何をどうすればいいのか、もうわかったはず。だけど、「わかる」のと「できる」のは別物です。そう、行動に移さなければ現実にはならないのです！

だから、ここから「わかる」を「できる」に変えていきましょう。小さな一歩で構いません。踏み出せば、確実に未来は変わるのですから。

「翻訳学校になんとなく通っているけれど、このままで本当に出版翻訳家になんてなれるのかしら」「いつか出版翻訳家になりたいけれど、何をどうすればいいのかわからない」

……そんなふうに、これまでは先が見えない道だったと思います。それが今は、「進めばたどり着ける確実な道」があるのです。

あなたがこれからやっていくのは、とても地味で地道なことです。それを支えるのは「書物への愛」「言語への愛」そして「こんなに素晴らしい本があるのだから、ぜひ日本に伝えたい！」という「情熱」なのだと思います。そこに自分の喜びの源泉があるのなら、きっと続けていけるでしょう。

私も、次の本の翻訳に取り組んでいます。どこから出版するかは未定のまま進めていますが、「この分野にこんなアプローチはこれまで日本になかった。これはぜひ伝えなくては！」という気持ちが推進力になっています。もしかしたら、その本が出版される頃には、本書の読者の方が出版翻訳家デビューしているかも……と楽しみにしています。

くじけそうになったら、本書を繰り返し読んで、またぜひスタートしてください。「こんな企画が通った」という声を聞ける日を心待ちにしています！

インタビュー

読者インタビュー

岸山きあらさん

きしやま・きあら
広島市出身。大阪大学文学部卒。東洋美術史専攻。IT企業でSE経験を積み、メガバンク広報部にてWebを担当。夫の海外転勤のため退職後、本格的に英語・フランス語翻訳の勉強をはじめる。クラシックバレエ、楽器演奏など幅広い趣味を持つ。Twitterアカウント名は「岸山きあら」。

本書の基になった連載の読者で、二〇二〇年春に下訳で出版翻訳家デビューすることになった岸山きあらさんからお話を伺います。翻訳学校のことや、デビューのきっかけについて、詳しく伺いました。

寺田　まずは、岸山さんが出版翻訳家になりたいと思ったきっかけについて教えてください。

岸山　意識し始めたのは大学三年の就職活動の時期でした。子どもの頃から本を読むのと文章を書くのが好きでしたし、中学生の頃からは外国への憧れも持つようになりました。日本語と外国語で表現に関わる仕事として出版翻訳なんていいなと思ったのですが、「英文科も出ていないし留学もしていない自分なんかにできるわけがない」とその時は思ってしまったんです。ただ、出版翻訳は無理でも産業翻訳ならできるのではと考え、需要のありそうなIT関係の企業に就職しました。転職もしましたが、いずれもIT関係だったのは、産業翻訳の勉強になると思ったからなんです。だけど会社員時代は仕事で精一杯でなかなか勉強ができず、結局勉強を始めたのは、結婚して会社を辞めて、主人の転勤のためイギリスに渡ってからでした。

寺田　どんな勉強をされたんですか。

岸山　通信講座で、複数言語で並行してビジネス翻訳を学びました。英語とフランス語、ドイツ語とイタリア語を同時進行で学ぶものです。

寺田　かえって混乱してしまいそうですが。

岸山　混乱しました。毎週課題があり、エッセーから取扱説明書、契約書まで色々な文章を訳すのですが、私は課題はやっても復習をあまりしないタイプで、通信というやり方自体が向いていなかったと思います。ただ、趣味で楽器演奏やクラシックバレエをやっていることもあり、ヨーロッパ系の言語に憧れがあったので、複数言語の勉強自体は知的好奇心も満たされて、とても楽しかったです。でも講座終了後、やっぱり自分は産業翻訳には興味がないと気づいてしまったんですね。本当は出版翻訳がやりたいんだと気づいたんです。それが三年か四年ほど前のことでしょうか。

寺田　出版翻訳家になりたいんだと気づいてから、まずどのようなことを始めましたか。

岸山　すぐに何か行動を起こしたわけではなかったんです。頭の片隅にはあったものの、帰国してからはバレエや音楽の趣味で忙しくしていました。ある時、バレエを一緒にやっている友人と、たまたま仕事の話になり、彼女が産業翻訳の仕事をしていることがわかったんです。自分も実は出版翻訳をやりたいんだという話をしたところ、彼女がすごく面倒見がいい方で翻訳学校の情報を親身に調べてくれて、「ここがいいらしいよ」などと教えてくれたんです。せっかくだからと教えてもらった翻訳学校に通い始め、基礎コースから勉強しました。基礎とはいえ内容は難しく、誤訳もたくさんしましたね。半年で一タームなのですが、三ターム通い、中級までいきました。途中からフランス語の翻訳学校にも通い始め、その先生がすごくきめ細かく教えてくださる先生だったのと、内容が英語にも応用できると思ったことから、いまは英語の学校はお休みしてフランス語のほうに毎週通っています。

寺田　フランス語はもともとできたんですか。

岸山　最初の会社に三年間勤めてから、フランスに十か月間留学していたんです。大学時代の第二外国語もフランス語でしたが、実質的に勉強したのは留学の時期です。

寺田　そうだったんですね。フランス語の翻訳学校はどんなところなんですか。

岸山　翻訳家の先生が個人でされているもので、少人数で授業をしていただいています。塾のような感じで、週一で通っています。厳しくはないのですが、私の訳文の欠点やこうしたらよくなるというアドバイスをはっきり論理的に説明していただけるのでありがたいですね。

寺田　翻訳学校に通うべきかどうか、読者の中には迷われている方もいらっしゃるかと思います。翻訳学校に通ってよかったことや、学校だけでは補えないこと、学校の有効な活用法について教えてください。

岸山　先生という、定点観測をしてくれる存在があるのはよかったと思います。自分のよいところも悪いところも指摘してくれるので、よいところは伸ばして、悪いところは直していくことができますし、直り具合も見てもらえます。勉強のペースや方向性をつかみやすいと思います。食事会など、先生からお話を伺う機会もありますし。翻訳の勉強は独学でできる方もいらっしゃると思いますが、私の場合は教え方のうまい先生に習うのが一番自分に合っていて、上達も早い方法だと思っています。

ただし、どうしたら仕事を取れるのかとか、持ち込みの仕方や持ち込みをする際のポイントについては、授業で教えてもらうといった類の情報ではありません。自分から教えを請えば、教えていただけるのかもしれませんが。

私はいつか下訳のお声がかかるのを待っているだけというよりは、訳したい本もあるしで、自分でどんどんやっていきたいタイプなので、そういう意味では仕事を始めたいならただ待っているだけではダメで、自分からつかみにいかないといけないのかなと思いました。学校は技術を頑張って習得するところと位置づけて、先生からできるだけ多くを吸収したら、どんどんトライアルを受けるなり持ち込みをするなり並行していったほうがいいのではと思います。実力があれば、先生によっては下訳のお声をかけてくださるかもしれませんが、不確実ですし、学校に通うこと自体が目的になるのは避けたほうがいいと感じます。一生勉強のような仕事なので、そういう意味では定期的に通うところがあるのはいいのかもしれませんが、私も学校に通い始めて数年なのでまだよくわかりません。

寺田　トライアルを受けて合格され、出版翻訳家デビューにつながったんですよね。トライアルを受けようと思ったきっかけは何だったんですか。

岸山　英語の翻訳学校の先生が、「トランネットという会社は会員向け出版翻訳オーディションをよく開催しているから会員になって応募してみたら?」と教えてくださったんです。先生ももともとそのオーディションを受けて最初の翻訳書を出し、それが実績になったということで勧めてくれました。ちなみにその先生には「機会があったら私に下訳させてください」と申し出ましたが断られました。先生によって下訳を頼む方と頼まずに自分でやる方がいらっしゃるんですが、その先生は自分でやる方だったんですね。

寺田　オーディションは頻繁にあるんですか。

岸山　トランネットのオーディションの頻度はまちまちですね。内容もそれぞれ違います。私は三回受けたのですが、最初は実用書、二回目は小説でした。いずれも落ちてしまったのですが、三回目は占星術がテーマで、以前に勉強していたことがあって内容が把握できたおかげで、合格することができました。引き出しを多く持っておくことの大切さを感じました。応募者数は受けた人にしか知らされないので公にはできないのですが、その中から通常は一人だけ、私の合格した回では三人が合格したので、狭き門ではあるようです。すでに訳書を出されている方も応募されているようにお見受けします。今回は占星術というニッチな分野でたまたま知識があったのでラッキーでした。

寺田　原書を探して持ち込みもされましたが、実際に持ち込んでみていかがでしたか。

岸山　趣味で長年続けているバレエの本を持ち込みました。出版翻訳の勉強がてら、趣味と実益を兼ねてAmazonでバレエ関係の洋書を取り寄せて読んでいて、中にとてもいい本が数冊あったのでぜひ日本のバレエ愛好家に紹介したいと思ったんです。持ち込みの時はすごく緊張していたのですが、編集者さんが親身に聴いてくださってうれしかったです。ただ、私は「この本が好きだ」という思いが強くて、そればかりアピールしてしまい、本を売る側の視点が欠けていました。持ち込んだ二冊の本のうち一冊は分厚いもので、私にとっては全部大切なので全部訳して辞書のように使ってほしいと思ったのですが、編集者さんからは厚すぎると言われました。原書はバレエ愛にあふれた本当にいい本なので、私のプレゼンがまずくて企画がお蔵入りになるのはもったいなく、たとえばコラムだけを抜粋して一冊にするとか章ごとに別冊にするとか、もっと手を変え品を変え、出版業界の実情を考えた提案をできるようにならなくてはと思いました。また、当日は企画書に沿って話すつもりでいたのですが、編集者さんからは「企画書に書いてあることは読めばわかるので、実際に本を読んでみての感想などを教えてほしい」と言われて戸惑ってしまいました。企画書通りに進めるものではないんですね？

寺田 それは編集者によって違うと思いますよ。企画書通りに説明を聞いてから、という方もいらっしゃるでしょうし。個人差があると思います。

岸山 そうなんですね。そういう進め方の戸惑いはありましたが、一度やってみたことでイメージがつかめたのはよかったです。

寺田 本書でお伝えしている内容で役立ったことやこれまでに知らなかったことがあれば伺いたいです。

岸山 学校では仕事の始め方は教えてもらえないので、持ち込みの仕方などが役立ちました。編集者さんのインタビューなど、編集者さんの視点を教えていただけるのも参考になります。また、売り方についても、文脈をつくって関連づけるなど、「この工夫やアイデアは自分にも活用できるな」と勉強になりました。

寺田 音楽ではピアノにヴァイオリンも演奏されていますよね。クラシックバレエ歴も約二十年と造詣が深くていらっしゃいますが、今後はどのような分野での翻訳を考えていらっしゃいますか。

岸山 実は最終的な目標は小説の翻訳なんです。恋愛絡みのミステリを手がけられたら、最高ですね。

寺田 小説をやりたいという方はやはり多いですね。

岸山　はい。新人にはハードルが高いので時間がかかるとは思いますが……。

寺田　近道があるので、別途お伝えしますね（172ページをご参照ください）。

岸山　それはぜひ。小説以外にも、音楽やバレエはもちろん、その他趣味の実用書などの翻訳も、手がけていきたいです。特にバレエは日本ではお稽古事としてしか認識されていなくて、クラシック音楽と比べると芸術として扱われる度合いが少ないようで、書籍もまだまだ少ないと感じます。だから海外のいいバレエの本をどんどん紹介していけたらうれしいです。先ほどお話した、出版社に持ち込んだバレエの本も、実用的でためになる本で、私のバレエ愛好家仲間たちから出版を待望されていますので、今後もチャンスがあれば出版に向けてアピールしていきたいです。

寺田　それは楽しみですね。英語もフランス語も、どちらもお仕事として手がけていかれるのでしょうか。

岸山　いまはまだ自分の中でフランス語のほうは英語に比べると勉強中の感がありますが、ゆくゆくはどちらもやって、二本柱にできればと思っています。

寺田　両方できると、原書探しも幅が広がりますよね。英語で見つけた原書が、オリジナルがフランス語だった、というケースでも対応できますし。

岸山　そうですね。そういうメリットはあると思います。

寺田　読者の方の中には、岸山さんよりもう少し手前の段階の方が多いのではと思います。ご自身のご経験から、出版翻訳家を目指す読者の方へのアドバイスをお願いいたします。

岸山　きっと読者の方のほうが私よりもずっと先輩なのではと思います。なので若輩者の私がアドバイスなんておこがましくてとてもできませんが、過去の自分を振り返ってということでしたら、もっと早くに始めておけばよかったと思います。私は通信よりも通学のほうが向いていたので、早く通学して、いい先生に早く出逢っておけばよかったなあ、と。回り道も糧ではありますが、近道できたのではという思いもあります。だけど、その人にとっての正しい努力を正しく続ければ、道が拓けると思っています。

寺田　まずは下訳でデビューされますが、はじめてのお仕事はいかがでしたか。

岸山　三人で分担しての翻訳で、一人あたり七十ページ程度を三か月かけて翻訳したので、余裕がありました。二百ページ超を一人でやっていたら大変だったと思います。

寺田　よいかたちのデビューだったのですね。今後はどのように活動していかれますか。

岸山　教室に通って勉強を続けるかたわら、他の翻訳書のトライアルも受けつつ、手がけたい原書があるので持ち込みを続けていこうと思います。昨年冬にカナダに旅行して、現地書店でたくさん面白そうな原書を買って帰りました。小説から小ネタ読み物系、ピアノ演奏に関する専門書まで、色々買いました。まだ読めていないのですが、読んでまた次の企画案を練りたいです。

また今回の下訳のお仕事の後にリーダーのトライアルを受けて合格したので、依頼があればお仕事としてのリーディングもどんどんやっていきたいと思います。

今回運よく下訳のお仕事ができましたが、だからすごいということは決してないと思っています。世の中で出版されている翻訳書には、文章としてとても読みやすいものもあれば、単語と単語をつなげてなんとか日本語にしただけのようなものもあると感じます。とにかく翻訳書を出せればそれでいい、じゃなくて、日本語として読みやすく、原文の魅力を伝えられるような翻訳ができることを目指して、これからも勉強していきたいと思っています。

音楽やバレエなど、長年続けてこられた趣味のおかげで、ご経験に基づく深い知識をお持ちの岸山さん。自分の専門分野があることはやはり強いですね。また、音楽関係者やバレエの仲間など、実際に出版できた際にＰＲできる関係者が多いことも、企画を持ち込む際に大きなアピールになると思います。

編集者インタビュー

西村安曇さん
（西村書店）

西村書店

にしむら・あずみ
編集者。二〇一六年に創業百年を迎えた西村書店は医学書を中心に芸術書、絵本、一般書と幅広く出版している。最近ではノンフィクションや科学分野の児童書、読み物に注力しており、環境問題に関する『グレタのねがい』や『みんなの通学路』の世界を生きる子どもたちシリーズが話題。

出版社の編集者の視点から、持ち込みのポイントを学んでいきましょう。絵本や児童書について、どんな企画が出版翻訳に至っているのか、出版翻訳家に求められることなど、詳しく教えていただきました。

寺田　西村さんには、『なにか、わたしにできることは？』の企画を持ち込んだ際に応対していただきました。会社案内や既刊本を広げて「うちはこういう会社で……」と説明してくださり、私も「私はこういう者で……」とまるでお見合いのようでしたが、実際にそうやって持ち込まれる企画はどれくらいあるのでしょうか。

西村 まず電話でお問い合わせをいただいてから原書と概要を送付していただくのですが、それが月に一件くらいでしょうか。年間で十件ほどですね。

寺田 そこでお断りするものと、出版を検討するものとが分かれるのでしょうが、どこを見て判断されていますか。

西村 第一印象が大きいですね。パッと表紙を見て何か惹かれるところがあると、手に取ってパラパラと中身を見ますね。海外のブックフェアでたくさんの本は目にしているのですが、見たことがない本があったりすると、その方がどうやってその本にたどり着いたのか知りたいですし、翻訳したい理由にも興味が湧きます。そうやって深く知りたいと思うと、実際にお会いすることになります。

寺田 その段階まで進めるのはどれくらいですか。

西村 お会いするところまで行くのは、年に二、三件でしょうか。そこから実際に出版されるのが一冊あるかないかだと思います。

寺田 かなり絞られますね。

西村 そうですね。かなり厳選しています。

寺田 編集者が気に入っても、社内会議でダメになる場合もありますよね？

西村 各人の好みの違いや、男女間での捉え方の違いなどはありますが、企画を通すということは、そういう相違を踏まえて、社内でも相手を説得していくことなので。

寺田 企画を持ち込んでくる翻訳家が新人で、経験がない場合もありますよね？　そこで「いい本だから出版しよう」となった時に、出版はするけれど持ち込んできた人に翻訳を任せないこともあるのでしょうか。

西村　それはないですね。その方が見つけて、持ってきてくれたものなので……。ただ、美術書など専門書の場合、下訳をその方にしていただいて監訳をつけることはあります。また、翻訳スタイルについて、たとえば文体を変えてほしいなどの提案はします。「こういうふうに出して、売りたい」という出版社の意図を理解して対応していただくことになります。

寺田　誰に翻訳を依頼するかは、どうやって決めているんですか。

西村　基本的にはこれまでに頼んだことがある翻訳家にお願いしています。これまでにその方が手がけたものを参考にして、その方自身の興味と重なるかも考慮します。また、若手の翻訳家さんを育てる意味でも、紹介していただく場合もあります。

寺田　その方のお墨つきのお弟子さんということですよね。

西村　そうです。試訳も出していただいて、これなら大丈夫と判断したらお願いすることになります。

寺田　新しい翻訳家と知り合うきっかけは、そのような紹介が多いのですか。

西村　そうですね。お会いしたことがない方だと、不安な部分が多いので……。知っている人が間に入って、ご紹介いただくと、お互いにも安心感がありますね。

寺田　はじめてご一緒する方だと、難しいこともありますか。

西村　あたりまえのことかもしれませんが、一方的に自分の言いたいことだけを言うのではなく、疑問点や提案をやりとりしながら、お互いに納得したうえで本づくりをしたいです。

寺田　そういうことも考えると、すでにお付き合いのある翻訳家からの持ち込み企画のほうが通りやすいように思えるのですが……。

西村　お互いのことをわかっているからこそ、通りやすいというのはあるかもしれません。ですが、たとえ、今までお仕事をしていても、その本をどう売っていくかを考えた時に意見が合わない場合もあります。出版翻訳の場合、原書が海外ですでに出版されていますよね。少なくともその国では、出版する価値があると誰かに認められているわけです。だから、その本をどう読者に届けるのか、その気持ちをすり合わせることも大切です。

寺田　出版翻訳する原書は、ブックフェアで見つけることが多いのですか。

西村　海外のブックフェアにも行きますし、出版社が発行しているカタログや新刊紹介の情報誌、出版社のサイトもチェックします。出版社のメルマガも見ますね。以前に手がけた著者の新刊が出た際などは、翻訳エージェントも情報を送ってくれますし。エージェント主催の展示会もあったりします。最近では、大使館も積極的ですね。助成金をつけて自国の出版物を日本で出版翻訳しようという働きかけがあります。他にも、各種の賞を受賞した作品を一般の方が紹介しているブログがあって、そういう情報源も目を通します。

寺田　その情報源の大半は、出版社でなくても、個人でもアクセスできるものですよね。

西村　はい。

寺田　これから手がけたい、求めている企画はありますか。

西村　身近な問題を含めて、読者、特に子どもたちや中高生が、何かを考えるきっかけになる本でしょうかね……。いまの時代は、情報量にふりまわされてしまいがちです。ニュースの大小に関わらず、ネット上で文字になって目に入ってきてしまいます。読者がきちんとした情報を得たり、正しく判断する力を培える本が必要だと思っています。

寺田　出版翻訳家を目指す方へのアドバイスをお願いします。

西村　出版翻訳するだけでなく、その本を売るためにできることをご自身でも考えてくださるとうれしいですね。いい本をつくるだけでなく、プラスアルファの何かが必要です。たとえばご自身の活動とか、趣味でもいいのですが、何かあって、その活動とつながる大切な本だから、そこで販売していくことができるとか。「いい本だ」というだけではなくて、その本の存在をどれだけ知ってもらえるかが大事なわけです。SNSも含め、翻訳家自身の発信力、アピールしていく力も問われてくると思います。

寺田　ビジネス書では販売への影響力が重視されますが、西村書店のように文芸の分野でていねいな本づくりをされている出版社でもそこが求められるのは意外でした。これからの翻訳家は提案力も必要になりそうですね。

西村　翻訳をするだけではなく、その本を知ってもらうために一緒に何ができるかということですよね。たとえば原著者が来日することがあったとしたら、そこで通訳まではできなくても、一緒にイベントに参加してくれるとか。それくらいの気持ちを持って持ち込みをしてほしいです。

点などはありますか。

寺田　持ち込みにあたって気をつけてほしい点などはありますか。

西村　持ち込み先の出版社がどんな本を刊行しているのかを把握したうえで持ち込んでいただきたいですね。ただ単に「出版翻訳したいから」ということでまったく路線の違うものを持ち込んでこられても……とは思います。もしかしたら、宝物がある可能性もありますが……。それと、既刊本と似たようなものは必要ないと思っています。類書があるから、売れるという考えもありますが、私はむしろ類書があるなら出版する必要はないと考えます。だけど同じテーマを扱っていたとしても、切り口の斬新さや意外性があれば話は別です。こちらが発掘しきれていないものを見つけて持ってきてくれると、「こんな本があったんだ！」という驚きや感動が生まれますよね。それと、翻訳経験がなくても、どういう方なのかを知りたいので、それがわかる経歴は添えていただきたいです。

編集者側の視点を知ることで、自分の企画をその視点から見直すことができるのではないでしょうか。出版社の刊行物をきちんと踏まえたうえで持ち込むことは、やはり大切ですね。そして、翻訳をしたらそれで終わりなのではなく、本をきちんと読者の手元に届けるために何ができるのかを考えること。読者に読んでもらってはじめて本は存在できるわけですから、届けるまでを自分の仕事と捉えれば、企画の提案方法も変わってくるでしょう。

編集者インタビュー

北川郁子さん
（七七舎）

NANASHA
七七舎
Nanasha Ltd.

きたがわ・いくこ
編集者・社会福祉士。一九九四年、介護・福祉に特化した編集プロ&出版社「七七舎」を共同経営で設立。代表を務める。書籍出版編集以外にセミナーなども主催。介護雑誌「Bricolage」は創刊一九八九年。一番古い介護系の雑誌。経営理念は「介護福祉のおもしろさを伝える」こと。
http://nanasha.net/

出版社の編集者以外にも、編集プロダクションの編集者がいます。編集プロダクションにはどのように企画が持ち込まれているのか、出版翻訳家の活躍の可能性など、詳しく教えていただきました。

寺田　北川さんには、『認知症の介護のために知っておきたい大切なこと～パーソンセンタードケア入門』を手がけていただいて以来、『認知症を乗り越えて生きる』など、認知症ケア関連の拙訳書はすべて編集を担当していただいています。認知症ケア以外の分野も手がけていらっしゃいますか。

北川　福祉関係のものは全般を扱っています。翻訳物では、発達障害やソーシャルワーク関連が多いですね。

寺田　私も原書を見つけて北川さんに企画を持ち込んでいますが、そのように翻訳家の持ち込みは多いのでしょうか。

北川　翻訳家ではなく、大学教授など、研究者からの持ち込みが多いです。ご自分の授業のテキストに使いたいなどの理由で、持ち込んでこられます。そこで私が原書と企画を確認したうえで、ふさわしい出版社に提案します。

寺田　そうなんですね。考えてみれば、『認知症の介護のために知っておきたい大切なこと～パーソンセンタードケア入門』も、監訳者の高橋誠一先生が持ち込んだ企画でした。私の場合はそれで翻訳をさせていただくことになったのですが、通常は持ち込んだ先生ご本人が翻訳されるんですか。

北川　はい。こちらから下訳を外注で翻訳家に出すということはあまりないですね。たいていはそれまでに翻訳経験のある先生で、ご自分が興味のある原書を持ち込んでこられます。ご自分で訳す以外にも、お弟子さん、つまりその分野を専門に学んでいる若手の研究者の方に翻訳を任せて、ご自分が監修する場合もあります。

寺田　先生方はその分野の専門家ではありますが、語学の専門家ではないわけですよね。そうすると、訳文のクオリティとして「これはちょっと……」ということもあるのではないでしょうか。

北川　実際、そういう場合もありますが、専門書なので内容の正確さ重視の部分がありま す。日本語的なクオリティはこちらで手を入れてお戻しするなどで確保するというスタイルです。

寺田　それでも、翻訳家に任せようとはならないのですか。

北川　あらかじめ翻訳家の方がその分野に明るければ別です。認知症ケアなら寺田さんにお願いできる、とかね。こちらも、社会福祉や介護分野に詳しい翻訳家の方へのアクセスがわからないのです。

寺田　専門性が求められるとなると、一見、出版翻訳家を目指す方にとって介護や福祉関係は参入しづらい分野のようです。けれども、翻訳のクオリティがあれば、むしろ参入しやすい分野なのではと私は考えています。『認知症の介護のために知っておきたい大切なこと～パーソンセンタードケア入門』を出版してから、「読みやすい」と反響をいただき、それが他の仕事にもつながっていきました。つまり、翻訳の専門家ではない方の出版物が多いからこそ、翻訳の評価が得られやすいのではと思うのですが、いかがですか。

北川　それはあるかもしれません。それに、介護や福祉の分野は、自分の生き方や世界観と重ねやすいのではないでしょうか。たとえば寺田さんの場合も、パーソンセンタードケアの翻訳書を出すだけでなく、研修をするなど、伝道者としての役割も担っていますよね？　そういうふうに、自分の関心のあるものを翻訳を通して日本の社会にも広めたい、という方にとってはいいのではないでしょうか。

寺田　出版翻訳家にも、色々なパターンがあると思います。文芸や金融など分野も幅広いですし、四六時中翻訳だけをするスタイルもあれば、他の活動と組み合わせるスタイルもあります。どういう出版翻訳家になりたいかイメージできていない方も多いと思うのですが、自分の生き方や世界観と重なるものを見つけるのは幸せなことですし、そこを目指すのもひとつの考え方なのではないでしょうか。

北川　そうかもしれませんね。その分野に興味を持って現場での仕事をしていた方が翻訳をするようになったり、通訳をしていた方が翻訳を始めたりすることもあります。通訳の場合は、仕事を通してかなり専門知識が身につきますしね。

寺田　出版翻訳家になりたい方が、自分の関心のある分野を見つけて、そこからその分野の勉強をして参入していくこともできますね。

北川　そうですね。福祉の現場経験があったり、資格を取得して翻訳家になる、あるいは留学をしたのちに翻訳家になるルートもありますね。

寺田　人気作家のベストセラーにすぐ買い手がついてしまう文芸の分野に比べて、社会福祉などの分野は原書も見つけやすいのでは？

北川　見つけやすいと思います。翻訳が必要な原書も多いですし。ただ、翻訳書は金銭面でなかなかハードルが高いのです。

寺田　それは原書の版元へのアドバンス（前払い金）の支払いがあるからですか。

北川　そうです。翻訳書の場合、売上が伸びるほど原書の版元への印税率が上がるものが多かったり、印税が先払いだったりというのが一般的ではないかと思います。

寺田　出版翻訳はすでに出版物としての価値

が認められている点で有利なのかと思いますが、専門書の場合、そういう理由で敬遠されてしまうこともあるのですよね。出版翻訳可能かどうかを判断する際、どういう点を重視していますか。

北川　日本の現状に役に立つか、日本の読者に受け入れられるかどうかです。制度的な面など各国でことなることも多いので、どうしても訳注も多く必要になってきます。

寺田　全体的には役立つものでも、一部の内容が日本の実情に即してないこともありますよね？

北川　それはありますね。たとえば二十年くらい前に、イギリスのソーシャルワークのテキストにはＡＩＤＳやＬＧＢＴに関する事例がすでにありました。今は日本の社会状況も変わってきましたが、当時は一章丸ごと割愛したこともあります。そうやって日本の実情に合わせるように編集として対応していますね。もちろん、翻訳者や原著者と協議のうえですが。

寺田　編集プロダクションならではの強みはありますか。

北川　翻訳家と一緒に組んで出版社に売り込めるところですね。専門分野の強みがあるので、「こういう企画なら○○社が」みたいな勘でしょうか。実際に、版元の編集者が関心を示してくれても、企画がなかなか通らないという実情もあります。大手になるほどその壁は高くなりますね。

寺田　たしかに、そういう実情は翻訳家が把握するには難しいですものね。一人で企画を練るのにも限界があるので、編集プロダクションでアドバイスが得られるのは心強いです。

北川　編集プロダクションもそれぞれ得意分野があります。うちは社会福祉や介護ですが、ビジネス書や児童書専門の編プロなど、そういうところでアドバイスをもらうのもいいと思います。

北川さんとは長いお付き合いになるので意識していませんでしたが、持ち込み先や売り方をご相談し、編プロの編集者ならではのアドバイスをいただいてきました。このように相性のいい編プロの編集者を見つけるのも、出版翻訳家を目指す方にとっていい方法かもしれません。特に、その業界に詳しい編集者だと、業界誌への寄稿の機会をいただくなど、翻訳を軸にその分野での活動を展開していくことにもつながるのではないでしょうか。

出版翻訳家インタビュー

笹根由恵さん

ささね・よしえ

翻訳家。日本にシンプルライフブームを巻き起こした『ゆたかな人生が始まる シンプルリスト』『シンプルに暮らす』の翻訳のほか、リヨン市長やクリスチャン ディオールCEOのVIP通訳など、フランス語の翻訳家・通訳・通訳案内士を務めている。

本書でお伝えしている考え方と行動は、言語を問わず通用するものです。そしてまさに本書の方法で夢をかなえた笹根由恵さんのお話には、実践するうえで参考になる具体的なヒントがたくさん詰まっています！

寺田　まずは、最初の翻訳書となった『ゆたかな人生が始まる シンプルリスト』の原書との出逢いについて教えてください。

笹根　リヨンの書店で出逢いました。以前からフランスに行くたびに書店を回って本を探しては買い込んでいたのですが、その時はドミニック・ローホーさんの『ゆたかな人生が始まる　シンプルリスト』と『シンプルに生きる』の原書二冊が並んで平積みになっていて目に留まりました。シンプルライフに関するものや自己啓発書がもともと好きで、日本でも書店でその棚にある本はほとんど読破していたんです。自分の好きなジャンルのものがあると思って手に取り、ざっと見たところ、中身もよさそうだったので二冊とも買って帰りました。

寺田　その時点では翻訳しようと思って買ったわけではないのですよね。

笹根　はい。好きなジャンルの本をフランス語の原書でも読めたらいいなという思いでした。当時もフランス語の通訳や翻訳をしていましたが、書籍の翻訳経験はありませんでした。絵本の翻訳はいずれやってみたいと憧れていたものの、出版翻訳家になりたいとは思っていなかったのです。

寺田　それがなぜ翻訳することになったのでしょう？

笹根　個人的にもリストをたくさんつくっていたことがあり、『ゆたかな人生が始まる　シンプルリスト』の原書を先に読みました。とても気に入って友人や知人に紹介したいと思い、翻訳書が出ていないか探してみたのですが、出ていなかったのです。出ていないなら自分が翻訳したいと思いました。このジャンルの本なら誰よりも読んでいるほどでしたし、原書も生き方が詰まっていて心を動かされました。それに、著者もきっと素敵な方に違いないと思ったのです。

寺田　どのように動いたのですか。

笹根　訳したいと思ったものの出版翻訳の道

筋がわからなかったので、著者にコンタクトを取って、著者から訳してもいいと言ってもらえることが一番大事なのではと考えました。通訳翻訳関連の情報誌は一通り目を通していましたが、翻訳学校に通う以外のルートがなく、こういう場合にどうすればいいかの情報はなかったのです。ドミニックさんはプライバシーをとても大切にされる方で、サイトもありませんし、連絡先も公開されていませんでした。出版社に連絡を取ることも思いつかなかったので、インターネットで日本語、フランス語で思いつく限りの検索をして情報収集をしました。その中で「ここに行くとドミニックさんにつながる人に会えるかも」という情報を見つけ、翌日早速出向いたのです。そこでその方に声をかけて、名刺を渡しました。原書にとても心惹かれたので翻訳したい旨とドミニックさんに連絡を取りたいことをお伝えして、その日はそこで帰りました。すると、翌日たまたまドミニックさんからその方に連絡があったのです。そこで「昨日こういう人が来て……」という話になり、ドミニックさんから直接私に電話がかかってきました。電話でお話しする中で、「あなたはいい人そうだから訳してもいいわよ」と言ってくださり、ちょうど日本にいらしたので、「ぜひ会いましょう」ということになりました。そして翌日早速お会いしたところとても気が合い、「ぜひ訳してほしい」と言ってくださったのです。

寺田　行動を起こしたことで、とんとん拍子に進んだのですね。

笹根　原書の中にドミニックさんのお考えがすべて詰まっていて、その世界観に惹かれて翻訳したいという気になったので、やはりご本人とも通じるものがあったのかと思います。ただ、ドミニックさんとは個人的に信頼関係ができたものの、私がどの程度翻訳ができるかはご存知なかったので、一部を訳してドミニックさんの知人で日本語のわかる方に読んでいただきました。

寺田　翻訳を進める一方で日本での出版社を探し始めたのでしょうか。

笹根　出版するあてがないまま訳し始めましたが、訳しながら企画書をつくったほうがよいのではと思ってつくり始めました。つくり方を知らなかったので自分なりに必要と思われる情報を盛り込み、それに試訳をつけました。出版社に持ち込むことは思いつかなかったのですが、ちょうどその頃に東京国際ブックフェアが開催されたのです。そこで、本書のジャンルと合いそうな日本の出版社の方々に企画書をお渡ししました。ところが「こういうジャンルは英語からの翻訳書しか取り扱わない」とことごとく言われてしまったのです。英語のものしかないからこそフランスの翻訳書もあるとよいのではないかと反論したのですが、「フランスのものはいらない。読者はアメリカしか見ていないし、アメリカのものしか求めていない」と言われてしまいました。

寺田　その後フランスがブームになるとは誰も思っていなかったのですね。

笹根　はい。企画書を預かって保留にしてくれたところもありましたが、結局どこからも連絡は来ませんでした。ドミニックさんの本は当時フランスで三十万部を超えるベストセラーになっていたものの、まだ日本での翻訳書は出ておらず、日本での知名度はゼロでした。私も書籍翻訳の実績がゼロだったこともあり、断られてしまったのです。

寺田　ドミニックさんとはすんなりつながったのに、そこで行き詰まってしまったのですね。でもそれであきらめることはなかったのですよね。

笹根　断られてから、どうしていいかわからなかったので、地道にできることをやっていきました。とにかくできることをしようと思い、企画書も何部か用意して何か機会があればいつでも渡せるようにしておきました。ブックフェアではそんなふうに全滅でしたが、もともと古典が好きだったこともあり、原書で枕草子が引用されていたこともあって、清川妙先生の講座に通うことにしました。以前から清川妙先生が大好きで、お会いしたいと思っていたんです。また「マリコがゆく」（著者の通訳時代の裏話をまとめたウェブ連載）を読んでいましたし、真理子さんのブログにも清川妙先生のことが書いてあったので、講座でお会いできるかもという思いもありました。

寺田　講座で声をかけてくださいましたね。

笹根　自分から声をかけたりするのは得意ではないのですが、その時は思い切ってかけてみました。

寺田　講座終了後にお食事をご一緒してお話を伺い、「それなら企画書を用意したほうがいいですよ」とお伝えしたんですよね。そうしたら由恵さんが「持っています」と言ってすぐに取り出してくれて……。その時、「この方は絶対に翻訳書を出版する！」と確信しました。その後、パーティーで編集者さんと出逢ったんでしたよね。

笹根　真理子さん主催のパーティーで同席した方たちが揃って参加予定のパーティーがあったので、私も申し込んだんです。その会場で、作家の佐藤伝さんを紹介していただきました。翻訳書を出したいというお話をして、企画書があるとお伝えしたら、「じゃあ持っておいでよ」と言ってすぐ見てくださり、その場で編集者の方を紹介してくださったんです。それも、以前から私と旧知の間柄であるかのように、親身に紹介してくださって……。その編集者さんが企画書をご覧になって、「これはいけるんじゃないか」と出版社を探してくださいました。すぐに講談社に話を持っていってくださり、やり取りもさせていただいていたのですが、もろもろご事情があり、それからしばらく間が空きました。正式決定へ向けて動き出したのは半年ほど経ってからだったのですが、その後講談社で出せることが決まりました。後から聞いたことですが、つつかなかったのがよかったようです。「まだですか？　まだですか？」とせかされてしまうことが多いそうなのですが、動かない時は動かないものなので、気長に待っててくれたのがよかったと……。

寺田　あせってつついてしまうと、かえってまとまるものもまとまらなくなるんですよね。待っている間も、翻訳は進めていたのですか。

笹根　とにかくこの本を日本の読者に読んでほしいと思っていたので、翻訳はゴーサインが出る前にも進めていました。出版が決まらなかった時のために他の原書を探すとか、出版が決まらなかったら翻訳料ももらえないから翻訳しないとか、そういう発想は全然なかったんです。

寺田　実際に翻訳をしてみて大変だったことや、事前に勉強しておけばよかったと思ったことはありますか。

笹根　日本語の素晴らしい文章をもっと読んで自分のものにしておけばよかったと思いました。結局、自分の中にあるものしか出せませんから。もっときれいな日本語の本をもっと読んで身につけておけば、もっといい翻訳ができると思いました。これは今でも思うことではありますが……。ただ、このジャンルの本はとことん読んでいたので、読者の方にとって不自然ではない翻訳にできたのではと思います。

ドミニックさんには、直訳よりも言いたいことのエッセンスがきちんと伝わるように訳してほしいと言われていました。日本人にとって読みやすいように、たとえ話も日本人にとってわかりやすいようにしてもいいとのことでした。原書では願望リストの訪れたいところとしてベトナムのハロン湾があがっていたのですが、日本人にとっては当時イメージしづらいように感じました。そこでモンサンミシェルはどうかと考えたのですが、原書がフランス語だと意識している読者には「モンサンミシェルはすぐに行けるのでは？」と思われるかもしれません。そこで日本とフランスからの距離感などを考えて、マチュピチュと置き換えるなどしています。著者との信頼関係があったおかげで、こういう対応を任せていただけました。

寺田　出版翻訳家としてデビューできた理由をご自身ではどのように分析していますか。

笹根　どうしてもかなえたい夢のために、いま自分に何ができるかを考え、勇気を持ってたくさんの小さな一歩を踏み出したことでしょうか。まわりに本を出している人は一人もいなかったですし、出版社の人もいなかったので本当にどうしていいかわからなかったのです。以前であれば清川妙先生の講座を受講することもハードルが高く、「古典の勉強をしてきたわけでもない自分が受講していいのだろうか」と尻込みしてしまったのでしょうが、「今このタイミングで受講しなければきっと一生受講することはない」と思って勇気を出しました。

一途な思いがあったことと、現実を知らなかったのが幸いしたのだと思います。それに、人に恵まれていることにだけは自信がありました。お会いした方々がご縁をつないでくださったのだと思います。翻訳したいと言った時にも、「そんなの無理だよ」と言う人はいなかったのです。「知り合いに訊いてみる」と伝手を探してくれようとしました。結局そこからつながることはなかったのですが、みなさんが応援してくれたのです。

寺田　由恵さんはすごく遠慮深くて、「私なんて」と一歩も二歩も引いてしまうタイプですよね。そんなふうに、普段は控えめでも、「ここぞ」という時に前に出られる人だと思うんです。肝心な時に前に出られない人もいるでしょう？　その違いは何だと思いますか。

笹根　佐藤伝さんには、「爽やかな図々しさがある」と言われました。自分ではそのつもりはないのですが……。ドミニックさんには、「由恵は熱意がある」「由恵はどうしていつもそんなにエネルギッシュに動けるの？」と言われます。それは多分、ドミニックさんという自分の好きな人に対してだからだと思います。もともと自信がなくて引っ込み思案で、壁の花になっているのが楽なタイプです。だけど純粋な思い、一途な思いがあって、どうしてもかなえたい夢があって、その気持ちが勝って思い切って行けるのだと思います。そうでないと、いつまでたっても踏み出せないのではないでしょうか。今でも自信はありません。私よりも翻訳がうまい方や、フランス語が上手な方は山のようにいると思います。そこで「私なんて」と思い出すと踏み出せなくなってしまいます。『このジャンルで私より詳しい人はいない」と思うことと、本に対する思い入れ、「私以上にこの本を好きな日本人はいない」という思いがあるから、それを読者に届けるために「じゃあ、何が自分にできるだろう」と一歩踏み出せるのだと思います。

あと、ご縁には恵まれているので、そのご恩返しをしていきたいという思いがいつもあります。

寺田　デビュー作以降仕事が続かないケースも多い中、次々に出版翻訳をされてきました。デビュー作が単行本で十一万部を超えるヒット作になったことも大きいでしょうが、出版翻訳を続けてこられた理由をどのように考えていらっしゃいますか。どのようにお仕事が続いてきたのでしょう?

笹根　二冊目の『シンプルに暮らす』は、ある著者さんのイベントで編集者さんをご紹介いただいたことがきっかけです。当時はまだデビューしていませんでしたが、ドミニックさんの他の本が日本で出版翻訳されていたので、編集者さんも彼女の本を探しておられたようです。ドミニックさんに打診して企画書を出したら、すぐに通りました。これは、著者の力や、すでに他によって出ていた翻訳書の力、そして編集者さんの力が大きいと思います。結果的に刊行のタイミングが一冊目と二冊目があまり間を置かないことになりました。ドミニックさんがブームになったこともあり、本を出したい編集者さんから出版社を通してご連絡をいただくようになりました。

寺田　最初の本が当たるというのはやはり大きいですよね。

笹根　それはありますね。あと、『ゆたかな人生が始まる シンプルリスト』を私が見つけてきたということで、私の目から見ておすすめの原書はないかとお尋ねいただくようになりました。五冊目の『間違える勇気。』はまた違う系統ですが、もともと宝飾業界に勤めていたこともあり、時計やジュエリーは得意な分野なんです。これは、出版社の方が「フランス語の翻訳者を探しているけど誰かいい人はいないか」とFacebookで投稿したところ、どなたかが私のことを推薦してくださったそうです。どこでどうご縁がつながるかわからないですよね。だから紹介してくださった方の顔に泥を塗ることは決してしないように、ずっと意識してきました。

寺田　ご縁は人が運んできてくれるものなので、パーティーのように人の集まる場に行くことも大切だと思うのです。自分が主催する立場になってわかったことですが、主催者はやはり参加者にとってよい出逢いの場になってほしいという思いで開催していますし。そういう点も含め、出版翻訳家を目指す方へのアドバイスをお願いします。

笹根　学校で勉強していると、人と会うことに意識が向かなくなってしまいますよね。でも学校だけだと、仕事につながる線が先生一本しかないわけです。外に出れば、何本もの線があるわけですよね。私は翻訳学校には通っていませんが、人と争って勝ち残るタイプではないので、学校という環境にいたらきっとそこで「私はダメだ」と思ってしまっていたでしょうね。

寺田　違う道を行ったのが正解だったのですね。他にはいかがでしょう?

笹根　最近では、「翻訳の雰囲気がいいから、こんな雰囲気で訳してほしい」とご依頼をいただくようになりました。翻訳家は黒子だからカラーを消さなきゃいけないと思いがちですが、百パーセント消せるわけではないですよね。原書の著者と翻訳家の相性やカラーが合うことも大切だと思います。それに、自分のカラーを殺してしまっては、結局つらくなるのではと思います。

寺田　児童文学や絵本など、その分野で活躍している作家さんが翻訳を手がけることもありますものね。やはり翻訳家にもそのカラーが求められているのだと思います。それに、原書の持つカラーと翻訳家のカラーが合っているからこそ、翻訳家も力を発揮できるということはあるでしょう。

笹根　結局、興味を持てない本は訳せないと思うんです。選り好みできる立場ではありませんが、私は器用ではないですし、翻訳も時間がかかるので、興味が持てず好きでもないものを仕事だからというだけで翻訳することはできないのです。人生を賭けて、魂を込めて訳していますし、本当に消耗します。だからそれだけのことをするためには本当によいと思えるものでないと無理なんです。

寺田　身を削りますものね。原書選びの観点からはいかがですか。

笹根　現地の書店に実際に足を運ぶことをお勧めします。一軒だけでなく何軒も足を運ぶのです。そうすると、「あちらの本屋さんではああいうふうに置かれていたけれど、こちらではこういうふうに置かれている」など本の立ち位置も見えてきます。また、書店での本は、その時代や流れを反映していますので、その中ならではの出逢いがあると思います。本屋さんに行ってみることで訳したい本が見つかるのではないでしょうか。

寺田　本から呼びかけてきたりしますものね。今後手がけてみたい作品はありますか。

笹根　絵本や児童書は翻訳したいという夢があります。

実は、インタビューの際には事前に質問内容をお送りするのですが、笹根さんにはあえてお送りしませんでした。というのは、スケジュールがつまった中に急遽インタビューをさせていただいたのですが、笹根さんだったら「少しでも役立つ話ができるように」と徹夜で準備をしかねないと思ったからです。ご本人はお話になりませんでしたが、一つひとつのお仕事に対するそんな誠実さが、依頼の絶えない何よりの秘訣なのではないでしょうか。

出版翻訳家インタビュー

夏目大さん

なつめ・だい
翻訳家。『Think CIVILITY（シンク・シビリティ）「礼儀正しさ」こそ最強の生存戦略である』『タコの心身問題――頭足類から考える意識の起源』『あなたの人生の科学』『ヨーロッパ炎上――新・100年予測：動乱の地政学』など多くの話題作を手がけている。
https://note.com/dnatsume/

出版翻訳家であり、翻訳学校でも長年にわたりお教えになっている夏目大さんからお話を伺います。自分が手がけたい分野を引き寄せていくためのヒントを学んでいきましょう。

寺田　『Think CIVILITY』は現在十万部と大ヒット中ですね。『タコの心身問題』も各紙の書評で取り上げられ、話題を呼びました。『音楽の科学』や『CHOCOLATE：チョコレートの歴史、カカオ豆の種類、味わい方とそのレシピ』など、お好きだという音楽やチョコレートに関する本も手がけられ、ご自身の興味とお仕事を上手に重ねていらっしゃるように感じます。手がける作品はどのように選んでいるのでしょうか。

夏目 私は完全に受身なので、選んだわけではなく、来たものを受けているんです。『CHOCOLATE』に関しては、仲介だけして生徒さんたちに任せるはずだったんですが、チョコレートが好きなので「はじめに」と「用語集」だけ翻訳したんです。

寺田 じゃあ、まわりの方が面白そうなものを持ってきてくださるんですね。

夏目 そうなんですよ、ありがたいことに。

寺田 基本的にお仕事は断らないんですね。

夏目 自分からは断らないですね。ただ、スケジュールが合うかだけが問題です。できればやりたいので、「これくらい時間をいただければできます」という希望を言って、先方が問題なければやりますし、無理ならあきらめます。幸い、無理だと言われることがあまりないので助かっています。『タコの心身問題』の版元であるみすず書房は以前から大好きな出版社だったので、機会があれば仕事をしたいということは言っていました。でも「こういう本がいい」という類のことは一切言っていないです。みすず書房の方は私の訳した『超訳　種の起源――生物はどのように進化してきたのか』を読んで私を知ってくださったので、進化に関するものが来たのでしょうね。そうやって過去の仕事からとか、話をする中でどんなことに興味があるかを伝えておくと、ふとした時に思い出して頼んでくれる感じです。

寺田 いい流れに乗って運ばれてきた感じで

しょうか。

夏目　進化論の本によく、Drunkard's Walk（酔っぱらいの千鳥足）というたとえ話が出てきます。進化には決まった方向性はないんです。物事は基本的に安定しているけれど、常に少しずつ揺らいでいます。酔っ払いの千鳥足のように、遠くから見るとだいたいまっすぐなのに、近づいて見ると蛇行している。歩いている道の両端は溝で、たいてい落ちることはないけど、たまにバシャッと落ちることがある。そういう時に大きな変化が起きる。その変化が有利なものであれば残るんですね。不利なものであれば消えていく。その積み重ねで、何十億年も積み重ねると、最初と全然違うものができていく。私の仕事もそういう感じなんです。頼まれる仕事はだいたいどれもそんなに違わないんだけど、たまにちょっと違うのが来る。そういう時に、その仕事は必ずやるんです。そうすると、最初と全然違うところに行っているという……。普通は同じことを繰り返したほうが得意になるし効率も上がるからいいと言われますけど、私はそれだとつまらないんです。頼むほうはこれまでの仕事との連続性を考えて頼んでくるんでしょうけど、こちらがちょっと違ったものを続けて選んでいくと結果的にこうなるんですね。最初の頃は同じ仕事が多かったですけど。

寺田　元ＳＥということもあって、最初に手がけていらしたのはプログラミングの本でしたよね。

夏目　そうです。それも面白いけど、ずっとそればっかりでも嫌だと思って、どうすれば抜け出せるかを考えたんです。ものすごくうまく訳すと、また同じようなのをお願いしますと言われちゃうじゃないですか。でも下手に訳したら次の依頼がこない。だからちゃんとやるんですけど、すると相手は「この人はこういうのが得意なんだ」と思う。かといって「私は同じのばかりは嫌なんです。違うのもやりたいんです」と言っても不利になるばっかりなんで、意味がないんです。ただ、相手も気まぐれで「ちょっと違うけどこれ頼んでみよう」という時があるんです。それをこなすと、だんだんずれていく。そうしているうちにコンピューターがチョコレートになったりタコになったりするんです。最初から「音楽の本をやりたいんです」と言っても、相手にとっては「コンピューターの本をやっている人」なんですよ。言うだけは言っていましたけれど、相手は「ふーん、そうなんですね」と言うだけです。でも聞いてはいるから、何かあった時に「そういえばあの人は音楽が好きって言ってたな」と、少しだけ音楽に関係する仕事が来るんです。コンピューターの翻訳をやっている人は、ガチガチにコンピューターが好きな人ばかりなんで、「音楽が好きだ」とか「脳に興味がある」なんていう人そんなにいないんです。だからちょっと変わった仕事が発生した時に回ってきやすいみたいですね。それをやると「こんなのもできるんだ」となって、だんだんと好きな分野の仕事が来るようになります。だから時間はかかりますよ。

寺田　最初からそういう時間軸を見込んで戦略的に仕掛けたんですか。

夏目　こんなに時間がかかるとは思わなかったですよ。戦略なんていうかっこいいものじゃなくて、他にどうしていいかわからなかったから。売り込みとかは苦手だし。だからじっと待ってるんです。それしかできないから、自分にできることは何だろうと考えた時に、ちょっとずれた仕事を逃さないようにしよう、と。結果的に思い通りになったけど、それは運がよかっただけで、もう一回同じことをやったらうまくいくかというとそうじゃないと思うんです。それは進化と同じですね。進化論的にものを考えることが好きで、それは役に立ちましたよね。

寺田　いつ頃からそうやって進化論的に考えるようになったんですか。

夏目　リチャード・ドーキンスの『利己的な遺伝子』を読んでからですね。note で「思い出すことなど」に書いている時代です。ダーウィンにもはまって、進化論をしばらく勉強したんです。「物事ってこんなふうに動くんだ」と思って。かといって自信があったわけではないし、「もう一生ダメかもしれない」と何回も思いましたよ。小説の翻訳も手がけましたが、これも最初からやりたかったんですよ。サリンジャーの翻訳書を読んで翻訳を勉強していますから。だけど、どうやってアプローチしていいかわからなかったんです。コンピューターから小説までが一番遠いじゃないですか。長年やっているうちに小説を訳している同業者の友人ができて、「夏目さんに小説をやらせたい」と編集者を紹介してくれたんですよ。

寺田　そうだったんですね。

夏目　私の訳し方は、小説にたぶん向いていると思うんです。産業翻訳をやっている頃から小説を訳すような訳し方をしていたから、周囲からは浮いていました。発注元には好評のようでしたが、間に入る翻訳会社の人から見たら違和感があったと思います。たとえ説明書であっても、読んで面白いことが大事だと思って訳してきましたから。たしか、物理学者のシュレーディンガーの『生命とは何か――物理的にみた生細胞』に書いてあったんですけど、この宇宙にある素粒子の動きはミクロで見るとランダムです。でもマクロで見ると一定の秩序がある。それと似た感じです。日々の暮らしはランダムな出来事の連続で、特にどこかに向かっているようには見えない。でも十年、二十年のスパンであとから振り返って見ると、大きくどこかの方向に進んでいたりする。最初にやっていた仕事に近い翻訳の依頼は早いうちに来たし、小説のように最初の仕事から遠い依頼は後から来た。何か、進化論を自分の人生で実験したようなものですね。でも、そういう仕組がだいたいわかる頃にはすっかりおじさんになってしまったのが残念です。いまの知見を活かして二十五歳くらいからやっていたらと思うんですけど。

寺田　その知見は翻訳学校の生徒さんたちに活かしていただくということで。

夏目　そうですね。

寺田　実際、そういう知見を持てない生徒さんが多いのではないでしょうか。年齢的にまだ若いと、長期のビジョンが持てないというか、視野が狭くなってしまうというか。体得した知見を伝えるのは難しいものですが、どのように伝えていらっしゃるんですか。

夏目　結局、今何ができるかだと思っています。「いつかああしたい、こうしたい」というのは忘れないけれど、そのために今できる最善のことは何かと考えたら、少しでも確率が上がることをする。それしか思いつかなかった。でもこれは自分の話として「思い出すことなど」で書いて、生徒さんにも話はするけれど、アドバイスとかではないですね。「自分にはこういうことが起きました」という話です。「こういうふうにしましょう」とか「こうするとうまくいくよ」とは言わないです。サンプルとして提示するだけで、どう受け取るかは生徒さんに任せます。私の授業は教えるのではなくて、サンプルを見せているだけなんです。出し惜しみはしないし、見せるものは全部見せています。とはいえある方法がうまくいったかどうかを検証するには、同じ人がその方法を取らなかった場合と比較するしかないけれど、そのデータは取得しようがないわけですから。みんなそれぞれ自分の考えでやったほうがいいですよね。

寺田　何かをやり遂げようとする時に理路整然と考えて進むタイプと、何となくふわっとしていながらも、何かピンと来た時に「あ、これかな」とつかまえていく「漂うクラゲタイプ」といると思うんです。世の中では前者が正しいとされがちだけど、実際には後者のほうがちゃんと目的にたどり着ける。夏目さんは後者の印象があります。「思い出すことなど」でも、翻訳の勉強をするために「ヒアリングマラソン」に申し込んだというエピソードがありました。「ただ、なんとなく、これがいいんじゃないかと思った」とのことですが、ご自身の直観を重視してこられたようにお見受けします。CNNやBBC、NHKのニュース番組を見たことが翻訳の役に立ったというエピソードもありましたが、翻訳にもリスニングを活用してこられたんですね。

夏目　耳で聞いて覚えた英語ってすごく役に立つんです。語感で身についているから、目で見ても「こういうニュアンスだ」ってわかるんです。「こういうセリフは怒って言ってたな」とか「嫌味ったらしく言ってたな」っていう記憶があるから、字面で見てもニュアンスがわかるんです。ただ、最初からそれを狙っていたわけではなくて、後づけですね。

私自身は生徒に向かないタイプだと自覚していたので基本的に自分のやり方で勉強してきましたが、コツコツ努力して伸びるタイプには翻訳学校は向いているでしょうね。伸びていくプロセスを先生に見せられるわけですよ。最初はあまりできなかったのが、ぐんぐん伸びていくのを見れば、先生も「できるようになったね、それならこの仕事をやってみる？」と言いたくなるじゃないですか。努力を見てもらいやすいし、時間が無駄にならないと思うんです。

寺田　翻訳学校では、一番上のクラスにあたるゼミクラスを担当していらっしゃいますよね。授業はどのように進めているんですか。

夏目　私は余計な話多めです。余計とは思っていないですけど、一見、余計に思えるかもしれない話ってことですね。課題文は一応あるんですが、それを見ていて思い出したことをあれこれしゃべるんです。生徒さんも慣れているので、脱線し始めるとどこだったか覚えていて、教えてくれることもあります。最初の一行だけで三十分くらいしゃべってたりしますし。前半はしゃべりたいことをしゃべって、後半は駆け足で、「何か訊きたいことありますか？　あったら今のうちに」って。そうなりがちですね。必ずしもそれが一番いいと思っているわけではないですが。

寺田　生徒さんの自主性を引き出す授業ですね。

夏目　受ける側に自主性がないと、得るものは少ないかも。修正する努力はしていますが。もちろん、訊かれたことには最大限、がんばって答えます。

寺田　生徒さんに「仕事を紹介してもいい」「下訳を任せてもいい」という判断基準はどこにあるのでしょうか。

夏目　私は下訳を頼むことはないんです。自分でやるか、やってもらうかです。仕事を紹介することはありますが、誰を選ぶかというのは難しいんですよ。ゼミクラスというのは一番レベルが高いので、来ている生徒さんは力がある人ばかりなんです。そうなると普段から話をしている気の合う人に頼みがちになりますね。たとえば、一緒にランチをしていて「そういえば、こういう話があるんだけど」という具合に。

寺田　そうなると相性のいい生徒さんにばかりお仕事が回ることになりませんか。

夏目　突出した実力のある人がいれば、たとえ一度も話をしたことがなくてもその人に頼みますよ。実力が第一です。もちろん、「人としてどうなんだろう」と思うようなことがあれば別ですが。歴然と実力差があればできる人に頼みますが、実際にはその差は曖昧なんですよね。だから、よく一緒にいる人に頼むんです。そのほうが他の人も納得しやすいと思うんですよ。「ああ、あの人には頼みやすかったんだな」と思えるでしょう？　よく一緒にいる人も、気が合うなと思って一緒にいるのか、チャンスをうかがって熱心に近くにいるのかはわかりませんが、後者であったとしても、私はそういうの好きなんです。それはそれで見上げたものじゃないですか。根性要りますからね。

寺田　お仕事に結びつかないまま長年通い続ける生徒さんは、つらくならないか気になってしまうのですが……。

夏目　それが、結構自分で何とかしちゃうんです。「出版しました」と翻訳書を持ってきてくれて、「先生のおかげです」って。正直「何かしたかなあ」という感じですが、そう言ってくれるので、「そうかあ、うれしいなあ」って……。自宅の本棚も、生徒さんたちの翻訳書が大きなスペースを占めています。

寺田　それだけの方が実際に本を出されたというのはすごいですね。

夏目　中には、四、五年くらい通う生徒もいます。それだけ長く通っていると、やっぱり力がその分、ついてきます。それにもちろん、こちらとしてもうれしいから応援したいと思いますね。私のところは、クラスの性質上かもしれませんが、ものになる人、多いです。最初はそれほどでもなくてもコツコツとやるのが得意で最終的にうまくいく人もいれば、翻訳は最初からとてもうまくても、家にこもって地味な作業を延々続けるのが無理でやめてしまう人もいるし……。最終的には、時間に判断してもらうしかないですね。私の判断ではわからないです。だから、あえて判断しないようにしていますね。

寺田　夏目さんご自身が出版翻訳家になられるまでの過程をnoteで綴っておられますよ

ね。SEから翻訳家に転身される過程で、映画『摩天楼はバラ色に』を見て「未経験の人間が認められて、成功するには、普通のことをしていてはダメだ」と考えたエピソードなど、発想も興味深く拝読しました。この過程を読むのもとても参考になると思いますが、他にもこれから出版翻訳家を目指す方へのアドバイスを伺えれば幸いです。

夏目　できることは色々あると思います。自分の翻訳を見てもらう機会をつくるのもひとつの方法かも。たとえば、著作権が切れた本を自分で翻訳してnoteでアップしていくとか。発表の場をつくって自分の訳文をアピールすることはできます。また、トライアルやコンテストも、確率は低いですが、受けて損はないです。受けないよりは確率が上がるわけですから。編集者が集まる場に出かけていくというのもありますね。

寺田　本書では原書の持ち込みを提案しているのですが、生徒さんに持ち込みは勧めないんですか。

夏目　他に何も思いつかなければ、どんどんやるべきだと思います。簡単にはうまくいかないけれど、じっとしているよりはずっといい。私自身はあまりやっていないので説得力はないかもしれませんが。私にはあまり向いていないのかな、と思います。時間があったら、それは本を探すことではなく、訳すことに使いたいんです。本を探すことは編集者のほうがうまいと思いますよ。フランクフルトのブックフェアなどに出かけたりするわけですし、翻訳エージェントからも色々と情報がもらえるわけですし。情報量が断然多いと思うんです。もちろん、偶然見つけたらそれはアピールしますけど。私がこれまで自分で持ち込んだのは二冊だけで、『シェーキーの子どもたち——人間の知性を超えるロボット誕生はあるのか』と『超訳　種の起源——生物はどのように進化してきたのか』です。『種の起源』はすでに翻訳書が出ていたのですがどうしてもやりたくて、縮約版をつくることを提案しました。

寺田　小説の翻訳のお話が出ましたが、手がけられた『6時27分発の電車に乗って、僕は本を読む』を拝読しました。ビジネス書や学術書では、夏目さんのこの翻訳は味わえないと思います。ビジネス書だと、いくら翻訳がよくても、「この方の翻訳で他の作品を読みたい！」という感じにはあまりならないんです。だけど小説は「この方の翻訳で」と思うんですよね。今後は文芸翻訳も積極的に手がけていかれるのでしょうか。

夏目　やりたい、とはいつも思っています。また何か頼まれればうれしいですね。自分からも実現のため継続的に動いてはいます。

『Think CIVILITY』は、私も認知症ケア関係の講座をつくる際にとても参考にさせていただきました。その翻訳を手がけた夏目さんが、まったく別ルートで知った『6時27分発の電車に乗って、僕は本を読む』の翻訳家と同じ方だと気づき、ぜひお話を伺いたいと思った次第です。自分が手がけたい分野をどうやって引き寄せていくか、進化論に基づく長期的な視野から学べることは多いのではないでしょうか。

著述家インタビュー

植西聰さん

うえにし・あきら
著述家。心理カウンセラー。独自の「成心学」理論に基づく著述活動を展開。文庫・愛蔵版を含め約七十万部の『折れない心をつくるたった1つの習慣』、『平常心のコツ』など累計五十万部の「コツ」シリーズをはじめ、著書累計は五百万部以上。中国や台湾、韓国、ベトナム、タイなど海外でも多数の翻訳書が発売。

長年にわたりベストセラー作家として活躍を続ける植西聰さんから、企画に対する考え方や編集者との付き合い方など、教えていただきました。

寺田　植西さんはベストセラー作家として長年ご活躍を続けておられます。大学ご卒業後は資生堂にお勤めでいらっしゃいましたよね。出版業界とは遠い業界のように思われますが、どのような経緯で作家になられたのでしょうか。

植西　会社員の頃から、心や身体について興味があったので、よく講演を聴きに行っていました。それで色々な講演家を知ったので、一人三十枚ずつ執筆してもらって本を出すということをやったんです。それがきっかけと言えるでしょうね。退職して一人で出版社を立ち上げ、「脳力開発」シリーズや「成功哲学」シリーズなど何冊かの編集や営業を手がけました。やがて出すものがなくなったので自分で書くようになったんです。自分の会社で自著が十冊くらい出たところで他社から「書いてほしい」と依頼が来ました。

寺田　ご著書を読んで依頼があったのですか。

植西　それもありますが、当時『マイバースデイ』という占いの雑誌に連載をしていたので、その出版社から打診があったんです。結局原稿はそこから出版されなかったんですが、せっかく書いたので他の出版社に持っていったら書籍化が決まりました。最初からうまくいったんです。運がよかったと思っています。当時、九十年代半ばは出版業界の売上も二兆円以上で現在の倍の規模でしたし、企画を持ち込んでも通りやすかったんです。

寺田　それからずっと依頼が絶えずに書き続けてこられたんですよね。

植西　三十三年になりますね。他社から依頼を受けるようになってからは二十五年です。著作は書き下ろしで三百六十冊、文庫化されたものや翻訳されたもの、リニューアル版を含めると四百八十冊になりました。

寺田　あらためて、すごい数字ですね。一冊の本を出すだけでも本当に大変なことですが、その後出し続けるのも相当にハードルが高いことですよね。出版し続けられる方と一冊で終わる方の違いは何でしょうか。

植西　運もあると思いますよ。一冊目を力のない出版社から出してしまったために売れないこともあります。どこから出すかも大事です。だけど、ダメだと思うとそれで終わってしまいますから、続けることですね。編集者もそれぞれ個性がありますから、ある編集者が「これはダメだ」と言っても、別の編集者は「これはいい」と言うことがあるんです。百八十度違う。だからあきらめないことです。たとえ一冊目が売れなくても、いい出逢いに恵まれればうまくいきますから。私も、以前にある出版社に企画を持っていったら、編集者に断られたんです。それが、同じ出版社の別の編集者が気に入って、結局企画が通ったんですよ。同じ会社なのに、そんなふうに判断が分かれるものなんです。絶対的な基準はなくて、結局その編集者がやりたいかどうかだけなんです。

寺田　断られても気にしないのですか。

植西　全然気にしないですね。他に持っていくだけです。ダメなんだとは全然思わないです。だって、たとえば料理の本だったら、料理に興味がある編集者ならやるでしょうし、興味がなければやらないでしょう。恋愛の本なら、恋愛に興味がある編集者はやるし、なければやらない。それだけのことですよ。

寺田　そう考えれば気持ちも楽ですし、落ち込むこともなくなりますよね。うまく興味の重なる編集者と出逢えるかどうかですが、これまでにかなりの数の編集者とお仕事をされていますよね？

植西　九十四社、百人以上と仕事をしてきました。

寺田　すごい数字ですね。編集者とのお付き合いで気を配っていらっしゃることは？

植西　本好きな人たちの交流会を主催しているので、そこに呼んで編集者が手がけた本を紹介する機会をつくったりしていますね。あとは、たとえばイラストレーターの展示会があったら誘って一緒に行くとか。仕事につながりそうな出逢いの場をつくるようにしています。それと、私は企画のストックをたくさん持っているんです。原稿も書き上がった状態のものが十五本くらいあるので、編集者が企画で困っている時にすぐに出せるんです。

寺田　それは編集者にとって心強いですね。

植西　編集者が一番困るのは、約束した日に原稿が出てこないことなんです。だけどそういう作家も結構多いんですよね。私は期日を守りますし、少し早めに原稿を出すようにしています。きちんと約束を守るんです。それに、編集の手間がかからない、すぐ出せる態勢の原稿を渡すんです。たとえば二ページ見開きだったら行数やページ数をきちんと合わせて出しますから、ほぼそのまま出版できるので、編集者はとても楽と言っています。

寺田　ご自身が編集のお仕事も経験されていて、編集者の立場で考えられるからこそできることですよね。編集者としてもありがたいでしょうが、編集者の中には思い通りに仕事をしたいという方もいらっしゃるのでは？

植西　私が編集者に依頼するのは誤字や脱字の修正、意味不明な箇所の指摘や事実確認、表記統一などです。文章に大幅に手を入れられることはあまりしてほしくないんです。他の著作との整合性もありますし。作家にも「自分はこう書く」という「自我」タイプと、

「編集者にやってほしい」という「お任せ」タイプがいて、編集者にも同様に「自分が思うような本にしたい」という「自我」タイプと「作家にすべてを任せたい」という「お任せ」タイプがいるんです。私のように「自我」タイプの作家は、「お任せ」タイプの編集者が合うんです。「お任せ」タイプの作家だったら、「自我」タイプの編集者がいいのでしょうね。「自我」タイプの作家と「自我」タイプの編集者では、ぶつかってしまうんです。

寺田　そういうタイプ分けは考えたことがありませんでしたが、参考になります。

　テーマはご自身の持ち込みと編集者からの打診と、どちらが多いのでしょうか。

植西　以前は持ち込みもしていました。面識のない出版社に電話をかけたりしていましたが、最近はないですね。九十四社も仕事をしていると、もう持ち込む先がないということもありますが、昔に比べて持ち込み企画が通りにくくなったということです。むしろ編集者のほうから企画の打診があったり、企画まではないけど「会いませんか」と言われて会って話しているうちに何か書いてほしいということになったりしますね。すると十五本くらい原稿のストックがあるので、そこから選んでもらうんです。

寺田　アドラー心理学や禅、老荘思想など、あらゆるテーマで執筆されていますよね。時代の要請に巧みに応えていらっしゃるようにお見受けしますが、どのように流れを読んでいらっしゃるのでしょうか。

植西　アドラー心理学は出版社を経営していた時代から知っていました。九十年代に専門講座で勉強したんです。ユング心理学についてもユング研究会で講座を受講しましたし、老荘思想も昔から親しんでいたんです。

寺田　流行ったから学んで身につけたのではなく、もともと知っていたら、ブームになって企画を打診されたのですね。幅広いテーマで執筆をされるためにどのような勉強をしてこられたのでしょうか。また、どのような下準備を日々の生活の中でしておられますか。

植西　心理学や人生論は会社員時代から興味があって勉強していたんです。仏教もそうですね。最新情報は新聞や雑誌から収集しています。あとは、いろんな人としゃべることでしょうか。テレビからも情報収集しますよ。ワイドショーでチャンネルを切り替えながら興味のあるテーマを追ったりもします。

寺田　そういうところからも情報収集をされているのですね。読者層は十代から八十代くらいまで、とても幅が広いです。作品ごとにそれぞれ対象読者層が設定されているかと思いますが、その読者層にわかりやすく言葉を届けるためにどのようなことに気を配っていらっしゃいますか。

植西　私の本は、どれも「小学校三年生が読んでもわかるように」ということを意識しています。つまり、難しい字や文章を入れず、具体的に書くこと。そして「〜しなさい」「〜すべき」といった上から目線を避け、あくまでもカウンセリング本として、提案型にしています。また、読者と会話するような「あなた」という言葉を使わないようにしています。以前は使っていたのですが、やめました。読者によって状況は違うので、「自分はそうじゃない」と思う読者もいるからです。また、タイトルも具体的に、カバーデザインも遠くから見てもはっきりわかりやすいように、と気を配っています。

寺田　内容だけでなく、いわばプロデューサー的な視点から、本づくり全体に気を配っていらっしゃるのですね。出版不況と言われる中で出版を続けておられる秘訣は何ですか。

植西　実績があることでしょうか。九十年代と比べて、やはり時代が全然違いますから、実績がまったくないと出版しづらくなりました。私の場合は『平常心のコツ』のような「コツ」シリーズが累計五十万部近く売れていることなどもあって、「それならうちでも売れるかも」と出版社が思ってくれるのでしょうね。実績がないと、たとえばブログの読者が十万人いるとか、ファンがいることを示せないと今の時代は難しいでしょうね。

寺田　作家の中には他のメディアに進出する方もいらっしゃいますが、出版にこだわって活動されていますよね。本を通してしか伝えられないものは何でしょうか。本というメディアについてのお考えをお聞かせください。

植西　雑誌にしろテレビやSNSにしろ、他のメディアは上辺だけだと思うんです。人生論や心理学を本当に深いレベルで相手に伝えるには、本しかないんですよ。昔に比べて書店数も半減し、本を読まない若い人も増えました。そういう人たちでも興味を持つものをつくっていかないといけないと思うんです。

寺田　心を元気にする本をたくさん出版していらっしゃいますよね。本書の読者の中には出版翻訳家を目指しながらもうまくいかずに落ち込み気味の方もいらっしゃるのではと思いますが、アドバイスをお願いいたします。

植西　自分なりの分野、「この分野は自分は強い」というのを持つといいのではないでしょうか。たとえば翻訳家の山川紘矢さん・亜希子さん夫妻はスピリチュアル分野の翻訳を多く手がけていますよね。そういうふうに「この分野だったらこの人」というふうになるといいのではないでしょうか。何でも屋だったら、もっと実績が上の人に頼んだほうがいいとなってしまいますから、専門性を持つことです。専門店だと、そこに行くしかないじゃないですか。総合店だったら、規模が大きいほうがいいとなってしまうでしょう。あとは、あきらめないことですね。あきらめないで長くやっていると、自然にものになっていると思いますよ。他の人の意見にあまり左右されずに、マイペースで続けていくことですね。

インタビューの際、ていねいに回答メモをご用意いただき、話題に出そうな資料も色々と揃えてくださっていました。時間をかけてご準備してくださったのだと思います。ベストセラー作家になっても決して驕ることなく、一つひとつのお仕事に誠実に対応していらっしゃるからこそ、長年にわたってご活躍を続けていられるのでしょう。自分の専門分野を持つことは、136ページの越前敏弥さんのお話にも通じます。あわせてご参照くださいね。

出版翻訳家インタビュー

越前敏弥さん

えちぜん・としや
翻訳家。『オリジン』『ダ・ヴィンチ・コード』『Yの悲劇』『解錠師』などミステリを中心に翻訳書多数。翻訳の技法をまとめた『文芸翻訳教室』、文芸翻訳エッセイ『翻訳百景』、『越前敏弥の日本人なら必ず誤訳する英文・決定版』など英語学習者向けの著作もある。
Twitter@t_echizen

出版翻訳家の越前敏弥さんからお話を伺います。長く第一線で活躍され、翻訳学校でもお教えになっている方ならではのお話から、出版翻訳を仕事にしていくうえで意識したいポイントを学んでいきましょう。

寺田　文芸翻訳は、翻訳の技術を磨くことに専念する「職人」のイメージが強いですが、これからの出版翻訳家に求められるものについてどのようにお考えでしょうか。

越前　二十年前なら職人でよかったのでしょうが、今はそれだけではダメでしょうね。読者が何を求めているのか、こちらはどういうものを読んでもらいたいのか、両方とも考えていく必要があります。その意味では、翻訳というのはもともとそういうものなんですよね。ただ訳していればいいというわけではなく、訳者あとがきや出版された際のトークイベントなどで作品の魅力をしっかり伝えていけることが大切だと思います。自分でその機会をつくるのは難しいかもしれませんが、機会を与えられた時にはそれを最大限に活用していかなくてはいけませんね。

寺田　越前さんは、翻訳学校でも長年教えていらっしゃいますよね。生徒さんにはそういう面も含めて指導されているのでしょうか。

越前　教えるまではいきませんが、読書会も含め、イベントはすべて紹介していますし、なるべく来てくださいとお伝えしています。そういう場に顔を出していれば、自分から発信していく要領もつかめますから。

寺田　読書会の開催など、読者層を広げるための試みも積極的にされていますよね。長年にわたり多数の翻訳書を刊行してこられたからこそ業界全体を活性化する視座も持てるのだと思いますが、これから出版翻訳家になる方たちはそこまで見据えておかないといけないのでしょうか。

越前　「この本を訳したい」「このジャンルやテーマを手がけたい」という目標を持つべきだと思うんです。それを読んでもらいたいという思いがあって、その延長上に翻訳の仕事があるはずなんです。順序はそうあるべきで、単に自分が出版翻訳家としてデビューしたいというのは違うでしょう。デビューしても、自分が手がけたい本がないのでは意味がないですよね。

寺田　実際には、単にデビューしたいという方も多いのでは？

越前　それでは困ります。単にデビューしたいというのは「英語力を活かしたい」という人に多いケースですが、そういう人に限って英語力もないんですよ。まずは、自分の好きなジャンルの本を見つけるところから始めるべきでしょうね。技術は勝手についてくるものではないですが、目標があってこそ磨かれるものですから。

寺田　生徒さんに「仕事を紹介してもいい」「下訳を任せてもいい」という判断基準はどこにあるのでしょうか。

越前　第一に、締切を守れることです。私の講座では課題を出しますが、締切を一秒でも過ぎたら受けつけません。講座にも、よく一、二分遅刻をしてくる人がいますが、いくら実力があっても時間を守れないようでは任せられないですね。第二は、一緒に仕事をして楽しい人であること。仕事のパートナーとしてどうかということですね。たとえば、講座の後に質問攻めにしてくる人がいます。質問をする姿勢自体は評価できるのですが、そこでも節度は必要ですよね。翻訳というのは正解がひとつではないことも多いのです。それなのに延々と自己主張を続けるのは、ちょっと……。第三に、誰もが間違えるような問題で一人だけ正解するとか、そういうところはやはり見ていますね。

寺田　語学力が先に挙がるのかと思ったら、そうではないのですね。

越前　いくら英語ができても、どうでもいい細かいことにばかりこだわって、編集者からすれば二度と仕事をしたくない人もいるわけです。それに、締切を守れなくて迷惑をかけたら、紹介したこちらのほうが信頼を失いますからね。

寺田　ではその三点をクリアできてはじめて、下訳を任せてもらえるのですね。

越前　そうですね。あと、下訳の場合は量を任せても大丈夫ということが要件です。翻訳する量が十倍になった時に、ボロボロになってしまう人と、逆にすごくよくなる人がいるんですよ。ボロボロになる人は、たとえば一ページあたり一箇所誤訳があるのが、十ページになった時に十箇所ではなく三十箇所くらいになってしまう。土台になる基礎的な語学力がない人や、小説を読めない人はそうなりがちです。だけどよくなる人は、むしろ誤訳が減るんです。つじつまが合わない箇所を修正して、自分で誤訳を直せるんですね。

寺田　なるほど。文脈から判断できるのですね。下訳だけでなく、仕事を任せていいというのはどのくらいのレベルですか。

越前　一冊丸ごとまでいかなくても、半分くらいは訳せる必要がありますね。多くの人に機会をつくる意味で一冊を三人から四人に訳してもらうこともよくあるので、百ページから二百ページくらいをきちんと訳せるかどうか。あとは、運もありますよ。たまたま出版社から新人を紹介してほしいと頼まれたタイミングだったりね。

寺田　やはり運もありますよね。『文芸翻訳教室』（研究社、二〇一八）には「（出版社を）紹介できるのはせいぜい数年にひとり」とあり、非常に限られている印象を受けました。大半の生徒さんは紹介を期待できないわけですが、その生徒さんたちはどうされているのでしょうか。ご自身でトライアルを受けるなどして道を切り拓いていくのでしょうか。その中から仕事につなげていった方はいらっしゃいますか。

越前　トライアルを受けたり、他にも翻訳会社経由で紹介してもらったりしてプロになった人もいます。産業翻訳や実務翻訳の仕事をしながら勉強を続ける人もいます。十年、二十年と勉強を続けている人も結構いますよ。プロになれるのは十人に一人くらいでしょうか。残りの九人がどうなっていくのか、それはこちらもフォローしているわけではないのでわかりませんが、翻訳の勉強をしたこと自体はその人の人生にとって決して無駄ではないと思います。英語だけでなく、日本語をきちんと使えることとか、調べものを徹底的にしたこととか、それはまた他のところで活かせると思います。たとえば、生徒の中には、翻訳家にはならなくても私が各地でやっている読書会の世話人をしてくれている人もいます。翻訳の勉強をして深く学んでいるからこそ、作品の魅力を伝えられるんです。そういう人に翻訳書の読者層を広げていってもらえたら、本当にうれしいことですよね。

寺田　出版翻訳への関わり方も色々あるわけですから、どういう関わり方が自分の持っているものをもっともよく発揮できるのか、考えてみてもいいのかもしれませんね。

学校と実際の仕事は別物だと思いますが、学校での評価がさほど高くなくても仕事で実力を発揮していったケースはありますか。

越前　知っている限りではほとんど思いつかないですね。立ち回りだけうまいタイプは、長持ちしないと思いますよ。学校がすべてとはいいませんが、やはり基礎がしっかりしていないと。

寺田　翻訳学校には通っていないのでわからないのですが、通訳学校はすごく厳しかったんです。罵倒されることもあり……。仕事のほうがそのプレッシャーがない分、パフォーマンスもよかったのですが、そういうことはないのですか。

越前　翻訳学校ではそういう厳しい指導はしませんね。プロの一歩手前のレベルになると厳しくはなりますが、人格攻撃のようなことはないです。基礎レベルの場合は特に、いいところを見つけてほめるようにしています。楽しく長続きしてもらいたいですからね。講座をきっかけに翻訳書を好きになって、もっと読むようになってほしいと思っています。

寺田　楽しく続けられればいいのですが、長く学校に通っていても仕事につながらず、評価も得られないと、全般的な自己評価まで下がってしまいそうです。自信を失って出版翻訳家の夢をあきらめてしまう方も多いのではと拝察しますが、そういう兆候のある生徒さんにどう対応されていますか。踏みとどまることができたケースがあれば伺いたいです。

越前　「長く続けてください」というお話をしてとどまった人はいますが、プロになった人はいないというのが正直なところですね。たいていは、最初の一年でほぼわかると思います。ただ、最初は全然ダメだったのに、三年目から急によくなって、プロになったケースはあります。その人は本が好きで、素直でしたね。アドバイスもちゃんと聞いていました。粘り強くやって成功した例ですね。

寺田　素直な方はやはり伸びますよね。『文芸翻訳教室』によれば「実際に訳書が出てその後も継続的に仕事をしているのはその半分程度」とのことですが、仕事を継続していける方とそうできない方の違いはどこにあるのでしょうか。

越前　運もありますが、編集者が次にその人と仕事をしたいかどうかでしょうね。仕事への取り組み方、誠実さ、それにちょっとした心遣い。編集者に対して何か月かに一度、しつこくない程度に、仕事がないか尋ねてみるとか。たとえばリーディングの仕事でいえば、大きなブックフェアの後の時期にはリーディングの仕事も多いはずなんですよ。そのタイミングで問い合わせれば、回ってくる確率も高くなるはずです。そういうことを自分で考えて行動できる人は、継続していけるでしょうね。あるいは、編集者が手がけた作品を読んでおいて、感想を伝えるというのもひとつの方法ですよね。自分が手がけた作品の感想を言ってもらって、嫌がる編集者はいません。それに、人間は自分の知らない人よりも知っている人に仕事を頼むものですから。人間関係をつくるところに努力や工夫をしているか、時間をかけているかだと思います。

寺田　『文芸翻訳教室』に、金原瑞人さんがYA（ヤングアダルト）という分野を開拓された例をあげながら、「海外作品の紹介者として、編集者や出版社のアドバイザーになれるぐらいの知識や鑑識眼を持つべき」と記されています。翻訳技術の向上とは別の類の勉強が必要と思われますが、具体的にどのようなことをしていけばよいとお考えですか。

越前　自分が手がけたいジャンルの本を翻訳

書、原書ともに読んでいくことでしょう。そのジャンルについては誰よりも強い、とまではいえなくとも、多くの人が知らないことを自分が知っているくらいのレベルになっておく必要はありますよね。そのためにどう情報収集していくかというと、手っ取り早いのは賞を追いかけることです。ミステリでいえば、MWA(アメリカ探偵作家クラブ)やCWA(英国推理作家協会)の賞にノミネートされた作品を読んで傾向をつかんでおく。ノミネートされた五作品はたいてい版権が押さえられてしまうのでそれを持ち込めるとは考えないほうがいいですが、版権を押さえない場合もあるので、いずれ仕事に結びつく可能性もあります。それが仕事に直結しなくても傾向を把握して知識がついたら、三年前にノミネートされた作家の新作をチェックしたりとかできるんです。ミステリに限らず、他のジャンルでも同じことがいえると思います。賞の他には、ベストセラーもある程度追っておくことですね。

寺田　YAのような、出版翻訳家がこれから開拓できそうな分野はあるのでしょうか。

越前　ひとついえるのは、英語圏以外の言語でしょうか。たとえば、エンタメでは十年ほど前に北欧がブームになりました。それからドイツ、五年ほど前にはフランス、そして今は台湾や韓国がブームになっています。次に何が来るかはわかりませんが、英語以外の言語にも強いと、いずれ風が吹いてくることがあるかもしれません。英語圏以外の文学を知っている人は多くないので、英語で仕事をするにしても強みになると思います。何が流行るかはわかりませんから、何か強いところを持っておくといいですね。結局、流行りそうだからと好きでもないものをやろうとしても苦痛でしょうから、好きなものを追いかけるしかないですね。目先のことではなく、何年か先を見据えたほうがいいでしょう。

寺田　越前さんは英語学習に関するご著書のほか、児童書の翻訳も手がけるなど、本当に幅が広いですよね。『おやすみの歌が消えて』を拝読しているのですが、六歳の男の子の視点で書かれていて、ひらがな表記が多く使われています。そうすると大人にはかえって読みづらくなってしまいがちなのに、とても読みやすくて驚きました。いったいどんな技を使っているのかと……。

越前　それはやはり工夫していますよ。当初は小学二年生までの漢字でやっていたのですが、それだと大人にはまだ読みにくいんです。そこで、編集者と相談して、小学校三年生までに引き上げました。その一年分でずいぶん違いますね。句読点の打ち方も、ひらがなの多さに合わせて工夫しています。

翻訳家になるための勉強というと語学力を磨くことにばかり目が行きがちですが、仕事をする相手として自分はどうなのか、客観視することの大切さをあらためて感じました。

また、12ページでお伝えしたように、分野を絞って自分が専門とする分野を持つことはやはり強みにつながります。この点は128ページの植西聰さんのインタビューでも触れられていますので、あわせてご参照ください。

Q&A

翻訳学校には通ったほうがいいの？

出版翻訳家になりたいと思った時、多くの方が考えるのが翻訳学校に通うことです。では、翻訳学校には通ったほうがいいのでしょうか。

結論からいえば、どちらでもいいと思います。出版翻訳家の中には、通っていた方もいれば、通わなかった方もいます。私自身は、翻訳学校に通ったことはありません。入り口はむしろ、思わぬところにあったというのが実感です。

私が最初の翻訳書を手がけたきっかけは、一人の女性に会いに行ったことでした。それは認知症当事者として発信を続けるクリスティーン・ブライデンさん。彼女の著作に感銘を受け、「ぜひこの方にお会いしたい！」と思ったのです。

来日講演があると知り、主催者に連絡をとりました。当日のお手伝いを申し出て、その代わりにクリスティーンさんに会わせてほしいとお願いしたのです。実際にお会いでき、喜んだのもつかの間。なんと、クリスティーンさんが帰国直前に転倒してしまいます。急慮、入院やリハビリのお世話をする通訳として通うことになりました。

この通訳がきっかけで、退院・帰国後の打ち上げに主催者が声をかけてくれました。その席で「認知症ケアに興味があるので、翻訳の仕事があったら声をかけてください」とお願いしたところ、「翻訳したい本があるけど、忙しくて手が回らないっていう大学の先生がいるよ」と紹介してもらえたのです。それが『認知症の介護のために知っておきたい大切なこと～パーソンセンタードケア入門』という最初の翻訳書の出版につながりました。

それまでも本に助けられてきた人生だったので、いつか本を出してみたいという漠然とした憧れはありました。とはいえ、どうやって出せるのか想像もつかないし、遠くの夢に過ぎませんでした。それが、まったく思いがけないところから実現することになったのです。頭で考えると入り口は限られてしまいがちですが、実際にはこんなふうに思わぬところから、それもすごく近道で、前途が開けることがあるのです。この可能性をぜひ心に留めておいてくださいね。104ページのインタビューに登場する笹根由恵さんのデビューのエピソードもご参考になさってください。

そのうえで、「学校に通うこと」について考えてみましょう。

私自身は翻訳学校には通っていませんが、以前は通訳でしたので、通訳学校に通ったことがあります。その経験からいえるのは、「学校」と「仕事」は別物だということです。

もちろん、学校では必要な基礎知識やスキルを教えてくれますし、先生も現場での経験が豊富ですから、実際に学べることは多くあります。けれども学校はあくまでも学校。どうやって実際に仕事を取っていくかはまた別に自分で考えなければいけません。それに、現場で求められる臨機応変な対応力は、学校では学べないのです。

「学校に通うこと」自体が目的化してしまう方もいます。学校に通うことは、あくまでも出版翻訳家になるための手段のはず。それなのに、そこに通うことや、そこで進級することと自体が目的になってしまう。気づけば学校の友達に会うためだけに通っていたりして……本来の目的を見失ってしまうのです。

そして、学校に通うことには、もうひとつ落とし穴があります。

学校の授業は、きびしいものです。通訳学校では、筆記テストや通訳パフォーマンスが悪いと、「脳みそないんじゃないの⁉」「そんなんだったら帰りなさい‼」と罵倒されることも度々。人間性自体を否定されるようで、通うほどに自信をなくしていきました。

翻訳学校ではこれほどきびしくはないようですが、罵倒まではされずとも、多くの課題があり、ダメ出しをされる中で、「自分はできないんだ」「自分はダメなんだ」と落ち込んでしまうことはあるでしょう。すると暗いオーラをまとってしまい、「仕事をお願いしたい人」ではなくなってしまうのです。

そう、これが落とし穴です！

通訳学校時代、印象に残ったクラスメイトがいます。同時通訳クラスに進級して、初回の自己紹介でのこと。彼女は、「私は二年もこのクラスにいるのに、いまだに進級できなくて……」とうつむいていました。そのクラスに在籍している時点で、実力はあるはずです。通訳として仕事をすれば、きっとある程度こなせるはずなのです。それなのに、「二年も進級できないダメな自分」というセルフイメージを持っていました。そしてまさにそのことが、通訳になる夢から彼女を遠ざけてしまっていたのです。

あなたがもし、「チャンス」や「仕事」の立場だったら、どうでしょう？　同じ実力の二人がいたら、「やったことないけど、できそう！　がんばってみる！」というAさんと、「自信ないし、だめかも……」というBさんと、どちらに行きたいか、答えは明らかですよね。そもそも、チャンスも仕事も、人が持ってきてくれるもの。暗くうつむいて、自分がいかにダメかを嘆いていたら、人が寄りつかなくなってしまいます。

出版翻訳家になりたいという方は、これまで成績がよく、叱られた経験も少ないのではないでしょうか。それだけに、自分がまわりに比べてできない状況に置かれることや、ダメ出しをされることに弱いかもしれません。だから、学校に通う場合には、自分のメンタル面をきちんとケアすること。学校がすべてにならないよう、自分なりに適度な距離感を保ってください。本来の目的を見据えながら、あなたのためになるように上手に活用してほしいのです。そして「仕事をお願いしたい人」として、チャンスが来た時にしっかり受け止められるようにしていてくださいね。

Q 翻訳学校の賢い活用法は？

出版翻訳家になるために、翻訳学校で何を得たいのか。それをはっきりさせたうえで、目的から逆算して翻訳学校の位置づけをしていくことです。

82ページのインタビューに登場する岸山きあらさんのように、翻訳学校を「技術を習得するところ」と割り切るのもひとつの考え方でしょう。勉強のペースメーカーとして活用していくのです。この場合、仕事の獲得については本書を参考に持ち込みをするなどして、自力で頑張っていくことが大切です。

「もっと翻訳学校を仕事につなげたい！」と思うなら、どんなサポート体制をとっている学校なのかを事前によく調べることです。プロを目指すレベルのコースでどんな先生が教えているのかを見て、「将来的に進級した際にどの先生につくのか」まで考えておくことです。その先生が出している翻訳書にしっかり目を通し、自分のやりたい方向性と合っているのか、翻訳のスタイルが自分の好みなのかを確認しましょう。そのうえで、「一番下のクラスから入っても、最終的にはここに行こう」と目標を定めましょう。

そこに最短距離で行くには、「伸びるプロセスを見せること」です。ぐんぐん力をつけていく生徒は、教える側からすればうれしいものですし、目に留まります。そもそも他の生徒は、「翻訳家になるにはどうしたらいいかよくわからないし、翻訳学校でも行ってみようかなあ」くらいの考えで来ているケースが大半でしょう。目的意識がはっきりしていれば、ここで大きな差がつきます。

順調に進級を重ねていけば、先生方の情報交換の際にも話題に上るかもしれません。よく名前を耳にする生徒なら印象に残りますし、将来的に下訳などを頼まれる可能性も出てくるでしょう。

伸びるプロセスを見せるにはどうすればいいのか、ここでも逆算してください。課題も多く出るでしょうし、それをこなして高い評価を得るには、時間も確保しておかなくてはいけません。ではその時間をどうやって捻出するのか。そこまで考えて綿密な準備をすることです。

人柄や受講態度も、もちろん先生からは見られています。遅刻をしないことは大前提として、積極的に質問をするなど、やる気を見せるとともに、先生との人間関係をつくっていきましょう。ただし、しつこく質問をして先生の負担になるようでは逆効果ですので、配慮を忘れずに。要は、「この人にだったらぜひ仕事を頼みたいな」という人であり続けることです。

「そんな……今まで何にも考えずに通ってきちゃった！」というあなた、大丈夫です！　私の恩師の先生は、よくこうおっしゃっていました。

「いくつになっても、遅すぎることはありません。今からだって『大間に合い』です」

そう、あなたも「大間に合い」なのです。今から修正できることはたくさんあるはず。まずは時間をとって洗い出して、できることから手をつけていきましょう。これから変わっていくプロセスだって、ちゃんと見ていてもらえるのですから。

Q 断られやすい企画ってあるの?

私も、これまでに断られたことは何度もありますし、企画書も試訳もあるのに出版に至っていない本も何冊もあります。

68ページの「断られたら……」でお伝えしたように、断られてもそれはマッチングの問題に過ぎないので、他を当たればいいだけのことです。だけど中には、何社か当たってみて、「これはやはり難しいかな」と感じるものもあります。理由は大きくいえば「日本に読者がいない」ということですが、三つのパターンに分けて説明しましょう。

第一のパターンは、「日本の読者の好みに合わない」というもの。これは絵本の場合ですが、私の好む絵柄はシュールリアリズム風のため、日本の読者から見ると「怖い」と感じられることが多いようです。こういう場合に絵を変えて出版するケースもありますが、そもそも絵のほうに惹かれて出版翻訳したいと考えたので、それでは意味がなくなってしまいます。

30ページで「出版翻訳する価値があるかを見極める」ことをお伝えしましたが、自分自身でもそのプロセスをあらためてやってみて、「これはテーマ性があるから、タイミングが来るまで温めておこう」と残したものと、「これは出版翻訳にこだわらなくていいかな」と手放したものがあります。後者は、「自分が読者として眺めれば十分」と納得がいったものや、「このアイデアは自分の他の執筆活動で活かそう」と違う形で自分の欲求を昇華できるものです。

出版翻訳家の中には自分で執筆を始める方も多いですが、もしかしたら「こういうものを書きたい」という欲求があってその原書を選んでいるのかもしれませんね。どうして出版翻訳したいのかを考えてみることで、自分の中に眠る欲求に気づくきっかけになるかもしれません。

「日本に読者がいない」第二のパターンは、「原著者の認知度の違い」によるものです。原書の本国であれば、その著者の本というだけでベストセラーになるのに、日本では知られていない場合です。私も、大好きなジャーナリストの本の企画を数社に持ち込みましたが、そのジャーナリストを知っている方自体が日本ではかなり限られてしまうという理由で断られています。ただ、これに関してはスタイルを変えるという手段があります。たとえば、原書は自伝だけれど日本で出版する際にはビジネス書として著者のキャリアに焦点を当てた構成にすることもできます。また、著者が何かのきっかけで日本のメディアで注目され、企画が通りやすい環境になるかもしれません。まだ検討の余地があるので、あきらめずに温めています。

第三のパターンは、「内容が専門的過ぎる」場合です。専門書として出版するにしても、それでは研究者など限られた読者にしか読まれないことになります。

実は、私が今翻訳を手がけている原書も、このタイプです。イギリスの研究書にありがちなのですが、事例はとても身近なのに、考察部分が哲学的過ぎて読者を選んでしまうのです。もっと広く読んでもらえる可能性があるはずなので、裏技を使おうと考えています。

『認知症の介護のために
知っておきたい大切なこと
パーソンセンタードケア入門』

著　トム・キットウッド
キャスリーン・ブレディン
監訳　高橋誠一
訳　寺田真理子（Bricolage）

原書　“Person to Person”
Tom Kitwood; Kathleen Bredin
(Gale Centre Publications)

『リーダーのための
パーソンセンタードケア
認知症介護のチームづくり』

著　バズ・ラヴデイ
監訳　高橋誠一
訳　寺田真理子（全国コミュニティライフサポートセンター）

原書　“Leadership for Person-Centred Dementia Care”
Buz Loveday (Jessica Kingsley Publishers)

原書はまったく別の著者ですが、このようにシリーズとして出版しています。先に出版されていた『認知症の介護のために知っておきたい大切なこと』のキャラクターを『リーダーのためのパーソンセンタードケア』のカバーイラストに活かそうと、同じキャラクターを使ってイラストレーターに描き下ろしていただきました。見覚えのあるイラストをきっかけに、潜在的な読者にアプローチしているのです。

中は横組みで、コラムも多く、イラストが散りばめられた構成。ここも同様にすることでシリーズらしくしています。また、小さくカバーイラストをあしらった背表紙も同じで、書店の棚でも並べていただきやすいようにしています。

【コラム】裏技〜文脈をつくる

そのままでは出版翻訳が難しい場合の裏技は、「文脈をつくる」ことです。

具体例を見てみましょう。私が二〇一八年に出版翻訳した『リーダーのためのパーソンセンタードケア〜認知症介護のチームづくり』という本があります。

本書はカバーイラストや判型、中身の体裁、タイトルなど、拙訳書『認知症の介護のために知っておきたい大切なこと〜パーソンセンタードケア入門』のシリーズになっています。

実際には、原書はまったく別の著者ですし、シリーズにもなっていません。だけど『認知症の介護のために知っておきたい大切なこと〜パーソンセンタードケア入門』が十年以上にわたるロングセラーとしてすでに読者がついているので、シリーズにすることで、潜在的な読者に届けることができると考えたのです。こうすることで、書店の棚でも並べて置いてくれますし、認知してもらう機会が増えます。

また、日本での出版業界の動きにうまく合わせる方法もあります。たとえば"Reasons to Stay Alive"という本は、メンタルヘルス上の問題を抱えた方が家族や友人に自分のことを理解してもらう手段としてよく活用されているそうです。

本書は日本語版では『#生きていく理由～うつ抜けの道を、見つけよう』（マット・ヘイグ／早川書房）というタイトルで出版されています。そのまま出版翻訳しただけでは、日本の類書に埋没してしまったかもしれません。それをメンタルヘルスの分野でヒットした『うつヌケ～うつトンネルを抜けた人たち』（田中圭一／KADOKAWA）という本の流れに位置づけることで、日本の読者に認知されやすくしているのです。

このように既存の本の中でどういう位置づけにあるのかを捉え、文脈をつくってあげることで、読者層が見えてきて、出版翻訳できるようになるのです。

50ページの「監修と類書」にあるように、類書を探す時に、あなたが出版翻訳したい原書の文脈まで考えてみるといいでしょう。そこまで踏み込んだ提案をすることで、出版翻訳できる可能性も高まりますよ。

Q 連絡はどのくらい待てばいいの？

数社に企画持ち込みをするとして、どのくらい連絡がなかったら次の出版社に持ち込めるのでしょうか。

日安がないので難しいところですが、まずは最初に持ち込んだ出版社の編集者の反応次第です。すごく乗り気になってくれて、すぐに動き出す場合もあるでしょう。それでも、大手になるほど意思決定のプロセスも増えるので、最終的に決定するまで時間がかかるものです。一か月ほど経っても連絡がないようなら、自分から連絡をして進捗状況を確認してみてください。

最初の時点で編集者がそれほど乗り気でなかった場合も、まずは一か月ほど経った時点で「先日の企画、ご検討いただけましたか」とリマインドしてみましょう。そこで特に動きがなく、編集者も関心がないようなら、次の出版社に持ち込んでもいいと思います。

ただ、「いつどう動くかわからない」というのが実際のところです。たとえば、こんなケースがあります。『未来をつくる図書館　ニューヨークからの報告』（菅谷明子／岩波書店）という本のイベントに二〇一九年八月に参加しました。通常、本のイベントがあるとすれば、それは出版記念イベントです。ところがこの本の発売は二〇〇三年。なんと十六年も前なのです！　それが『ニューヨーク公共図書館　エクス・リブリス』（フレデリック・ワイズマン監督）という映画が二〇一九年五月に公開されて話題になり、「映画関連本」としてにわかに注目を集めました。そしてロングセラー記念にイベントが開催されたのです。

発売当時、まさか十六年後にこういう形で注目を集めるとは、誰も想像もしなかったでしょう。こういうふうに風が吹くことがあるのです。だからあなたの企画も、いつどこで風が吹いて動き出すかはわからないのです。

「自分が出版翻訳家として早くデビューしたい」と思うと、あせりが出てしまいますし、待つ時間も長く感じられて、「早く次の出版社に持っていかなきゃ」という気持ちになってしまいがちです。そうではなく、「この本をどういう形で世の中に出してあげるのが一番いいのだろう？」と考えてみてください。そうすると「自分が、自分が」という思いが消えるので、ゆったり構えられるはずです。

実際、本は自分に合ったタイミングで世の中に出てくるように感じます。拙訳書『なにか、わたしにできることは？』も、出版までに三年かかり、発売されたのは二〇一一年……ちょうど震災の年でした。もっとも必要とされているタイミングを、本が自ら選んだようでした。

あなたが出版翻訳したい本が世の中に求められるものならば、それはちゃんと出るべくして世に出るはずです。それを信じて、あせらず、最善と思うことをしてあげましょう。

Q 大手出版社のほうがいいの？

大手出版社ならではのメリットはあります。最大のメリットは、「よほどのことがない限り倒産しないこと」ではないでしょうか。

最近は「一人出版社」がブームになっています。出版社は一人でもできるものですし、名の知れた出版社や老舗出版社の中にも、少人数で経営しているところが多くあります。会社の規模が小さいと、倒産してしまうこともあるのです。実際、拙訳書『認知症の介護のために知っておきたい大切なこと～パーソンセンタードケア入門』はロングセラーになっていたものの、出版社が倒産したために絶版になってしまいました。別の出版社から復刊しましたが、倒産による絶版はショックが大きいですし、二度と経験したくないものです……。

では、大手ならば絶版にならないかといえば、「大手だからこそ絶版にされてしまう」こともあります。本自体の価値よりも、販売部数などの数字だけで判断されてしまうのです。業界では評判になっていて内容もいい本が絶版にされてしまうのを見ると、本当にもったいないと思います。小さな出版社だったら、同じ販売部数でも「稼ぎ頭」として大事に版を重ねてもらい、結果的に大きく販売部数を伸ばせたかもしれないのです。

大手の場合、扱う作品もやはり多くなります。同時期に刊行する作品が多数あると、会社としてもすべて同じように力を入れられるわけではありません。大手ならではの営業力というメリットがあっても、国内の人気作家の新刊や大ヒットマンガの最新刊に営業がかかりきりで、あなたの手がけた翻訳書はほとんど目を向けてもらえないことにもなりかねません。編集部門と営業部門の連携もあります。編集者は編集能力が高くていい本に仕上げるのは得意でも、営業との交流が少ないために熱心に売ってもらえないことも……。大手ならではのデメリットもやはりあるのです。

その点、中小規模であれば刊行点数が少ないので、同時期に刊行する作品は他になく、新刊はあなたの作品だけかもしれません。すると全社的に力を入れて営業してくれることになります。編集と営業の関係も密なので、連携も取りやすいでしょう。

読者の側からすれば、大手出版社かどうかはあまり判断材料にならないのではないでしょうか。むしろ、通な読者ほど「ここの出版社のノンフィクションシリーズは充実している」「ここの出版社の企画は面白い」とよくチェックしているものです。原書によっては、小粒でもきらりと光る出版社から出したほうが、望む読者層にアプローチできるのではないでしょうか。

また、大手の場合は決裁のプロセスが何重にもなるため、せっかく編集者が気に入っても企画が通らないことがあります。その点、中小であれば編集者の権限が大きいので、すぐに話を進められます。

単純に「大手出版社ならいい」という話ではないのですね。メリット、デメリットを考えながらあなたの選んだ原書にとっての最適解を見つけてあげてください。

Q 英訳版は使えないの?

「これは絶対に自分が翻訳したい」と思える原書が見つかったのに、調べてみるとそれは英訳版で、もともとは他の言語で書かれたものだった……こういう場合、翻訳を手がけることはできるのでしょうか。

結論からいうと、「出版社の方針次第」です。

以前、素敵な絵本を見つけて、ぜひ翻訳したいと思いました。張り切って試訳をつけて、企画書も用意して、絵本に合った出版社に提案してみたのですが……そこで、実はその絵本がもともとフランス語で書かれていたことがわかったのです。

「うちではオリジナルの言語から翻訳するので、この絵本の場合はフランス語版から翻訳します。だからもしこの企画が通ったとしても、フランス語の翻訳家に依頼するので、あなたには依頼できなくなりますよ」

そう親切に教えていただき、「それなら……」と提案は取り下げたのでした。ところが別の出版社にお持ちしたところ、対応が違いました。

「うちでは基本的にはオリジナルの言語から翻訳しますが、英訳されたものから翻訳することもありますよ」

このように、出版社によって方針が違うのですね。

たとえば、116ページのインタビューに登場する夏目大さんの翻訳された『6時27分発の電車に乗って、僕は本を読む』も、もともとフランス語で書かれたものですが、夏目さんは英訳版から翻訳されています。

出版社にとっても、英語の翻訳家のほうが数が多いので、豊富な選択肢の中から選べるというメリットがあります。また、翻訳家との関係性もあるでしょう。オリジナルの言語の翻訳家だけれどなじみのない方よりも、どんな仕事をしているかわかっていてお付き合いのある英語の翻訳家のほうが安心して依頼ができますよね。

ですから、たとえ英語以外の言語がオリジナルだったとしても、希望を捨てることはありません。まずは、持ち込み先の出版社の方針を確認しましょう。英訳版からでも構わないというところを探してみてください。そして「この人が翻訳するのがこの内容にふさわしい」と思ってもらえるようにアプローチしていきましょう。

Q ペンネームは必要？

作家の場合と比べて、出版翻訳家にはペンネームを使う方は少ないでしょう。私も、最初の翻訳書を出した時、ペンネームにする発想はまったくありませんでした。もし最初の本がハーレクインロマンスだったらペンネームにしようと思ったかもしれませんが、認知症ケアの本でしたし。

その後に出した本も、ジャンルこそ違うものの、テーマや在り方は通底すると思っています。読者の方が訳者名で検索した際に他の本と出逢っていただけたらとの思いもあり、いずれも名前を変えていません。

名翻訳家として知られる東江一紀さんは、小説は本名で手がける一方、ノンフィクションやビジネス書には楡井浩一というペンネームを使っていらっしゃいました。さらには、菜畑めぶきや河合衿子という女性名までも……！　ご自身の中で気持ちの切り替えがしやすいという面もあったのでしょうが、作品によっては女性の翻訳家のほうがしっくりくるなど、イメージに合わせて対応されていたのですね。
「デビューすらしていないのに、企画書を持ち込む段階でペンネームをつけるなんて」と思うかもしれませんが、ペンネームを使うことで心理的にプラスの効果もあるのではないでしょうか。たとえばSFをやりたい、恋愛小説をやりたい、という目標があるなら、それに合ったペンネームをつけてしまうのです。人間には、形から入ることで、心が引っ張られていく性質があります。ペンネームにふさわしい行動を取るようにおのずとなっていくのです。自信が持てないタイプならなおのこと、名前を変えることで心理的な壁を乗り越えやすくなるかもしれません。

さらに、珍しいペンネームをつけることで、相手に覚えてもらえる効果もあります。編集者は多くの方にお会いする仕事柄、一度お会いしても覚えてもらえることは期待できません。だけど珍しいペンネームなら、印象に刻まれますよね。これは51ページの「プロフィールをつくる」の延長といえるでしょう。

もうひとつ、おまけの特典が。ある方が初めての翻訳書を出版される際、こんな心配をされていました。「この先離婚するかもしれないし、旧姓にしておいたほうがいいかしら」。ペンネームなら、この心配も要りません。

色々とメリットもあるペンネーム。どんな名前をつけるか、考えてみるのも楽しいかもしれません。

契約書がないって本当？

はい、本当です。

といっても、ないわけではありません。きちんとした契約書が存在します。ただ……契約書が出てくるのが、最後の最後なのです。

翻訳を終え、編集や校正も終え、装幀も決まり、諸々のプロセスを終えてようやく見本が完成し、配本を待つばかり、という段階になって「それでは契約書を」となるのです。

その間、短くても数か月、長ければ数年です。ビジネスの世界では、仕事が始まる前に契約書を作成するのが当然という感覚があります。その「当然あってしかるべきもの」がないままこれだけの期間を過ごすのは、とても不安ですよね。はじめてだと驚くでしょうし、疑心暗鬼になると思います。「もしかして詐欺なのでは？」などと思ってしまうかもしれません。でも「契約書がないのが出版翻訳では普通のこと」と知っておけば、余計な不安に駆られずにすむでしょう。

一冊の本を翻訳するのは相当な労力です。それを口約束だけでやるなんて、大丈夫なのかと思ってしまいますよね。もちろん、事前に各種の条件はメールや口頭で確認しておきますし、仕事を進めていく中で担当編集者とやり取りを続けていくので、反故にされてしまうことはまずありません。

発売直前の状況で、条件が多少変わってしまうことはたまにあります。業界の情勢や経営判断などでやむを得ない事情の場合が大半ですし、納得がいかなければもちろん交渉はできます。

原書探しから始まる長い、長い旅を終えて、ようやく出版できると思ったら契約書がない。そこで大きな不安に陥ってしまいそうですが、この業界特有の事情をはじめから知っておけば、不安にとらわれることなく翻訳に専念できるでしょう。

Q 出版翻訳の収入って?

買い切りというケースも稀にありますが、基本的には印税契約です。「印税」と聞くと「夢の印税生活」を連想する方も多いようで、だから「出版翻訳でお金もうけができますか」と尋ねる方もいるのでしょう。

印税契約では、次のようになります。

「本の定価」×「印税率」×「本の刷り部数」＝収入

印税率は翻訳家の実績や出版社の事情などによって変わりますが、四パーセントから八パーセントです。

ある翻訳家の方から、某大手出版社の印税率が三パーセントと聞いて驚いたことがあります。「それはあんまりなのでは……」と思いましたが、刷り部数が通常よりかなり多いケースでしたので、それなら結果的には悪くないのでしょう。

問題は本の刷り部数です。出版不況という言葉がよく聞かれるように、本の販売が大きく落ち込んでいます。初版部数がひと昔前に比べて半分になったという話もよく耳にします。出版翻訳家にとっては、そのまま収入の半減につながります。だからこそ、翻訳するだけでなく、本を買ってもらうための努力が翻訳家にも求められているのでしょう。

『翻訳家で成功する！　徒弟修業からインターネット・オーディションまで』（柴田耕太郎／工作舎、二〇〇〇）には、「印税額一五万円から二億三千万円まで」という両極端のケースが登場します。同じように本一冊を翻訳しても、その本がどれだけ売れるかによって、ものすごく印税額に差が出てくるのです。二億三千万円というのは、ある大ヒット作の実例です。定価二〇〇〇円で印税率六パーセント、一九〇万部の売り上げを記録してこの印税額になりました。

こういうケースがあるので、夢の印税生活を思い描く方も少なくないのでしょうね。ここまでの大ヒットでなくとも、ある程度のヒット作なら年収くらいの額になるわけですし、「本一冊翻訳して年収分なんて、おいしい仕事だ」と思われるのかもしれません。

だけど考えてみてほしいのですが、すべての本がそんなにヒットするわけではありません。ヒットした本の背後には、きっと何十冊もの売れなかった本があるはずなのです。それを考えたら、ヒット作が出てようやくそれまでの分がカバーされたといえるのではないでしょうか。

翻訳して、それを世に出すまでの労力を考えると、それこそ年収分くらいの経済的な見返りがあってもいいのではと思いますが、実際には「労多くして……」という世界だと思います。

それでも多くの出版翻訳家が翻訳を続けているのは、いつかは夢の印税生活をと思っているからではなく、やっぱり心底好きだからなのでしょう。

Q 小説翻訳の近道はあるの?

「最終的には小説の翻訳を手がけたい」と憧れている方は多いのではないでしょうか。

プロとして様々な分野の実績を積んだうえで、小説にたどり着く方もいらっしゃいます。最初から小説の翻訳を手がける場合でも、十年くらい勉強をしてきたという方は珍しくないでしょう。

十分な実力を身につけてから仕事をしていくことを考えれば、それくらいの時間をかけてもいいのかもしれません。だけど、「この本は絶対に自分が訳したい！」という原書と出逢ってしまって、「十年も待っていたら、その間に他の方に訳されちゃう！」というケースだってあるでしょう。そんな時、どんな近道があるでしょうか。

ひとつ考えられるのは、「小説をメインにしていない、もしくは手がけていない出版社に持ち込む」という方法です。

小説がメインの出版社だと、お付き合いのある翻訳家がたくさんいます。それではいくら持ち込んで原書に興味を持ってもらえても、「こういう作品なら○○さんに」となってしまうでしょう。

小説をメインにしていない、もしくは手がけていない出版社なら、翻訳家の伝手がなく、企画を持ち込んだあなたに翻訳が回ってくると期待できます。ただし、ハードルはあります。

まず、そもそも小説というジャンルを取り扱っていないので却下されてしまうことが考えられます。それを防ぐために、どんな出版社かをよく調べてください。小説はやっていなくても、幅広いジャンルを扱っているところや、面白い仕事をしているようなところなら、編集者の関心とうまく重なれば、「じゃあ、翻訳小説もやってみようか」となるかもしれません。できれば刊行物のどこかで翻訳物を扱っているようなら、翻訳物自体への抵抗感がないのでいいですね。

そして、既存のラインナップとうまく合わせられるかを考えてみてください。たとえば、あなたが見つけた原書が、料理がたくさん登場する本だとします。もし出版社が料理の本に力を入れているようなら、単に「小説」ということを伝えるのではなく、「料理」という切り口からアプローチするのです。そうすることで、扱ってもらえる可能性がかなり高まるでしょう。

「小説をメインにしていない、もしくは手がけていない出版社に持ち込む」方法には、デメリットもあります。編集者も小説が専門ではないので、ノウハウがないのです。ベテランの編集者が手を入れることで訳文のクオリティがぐんと上がるものですが、こういう細やかな指導は望めないでしょう。訳文のクオリティは自力で上げなければいけません。

そんなデメリットはありますが、試してみるだけの価値はあると思います。

もうひとつの近道は、「ベテランの翻訳家の方に監訳をしていただく」という方法です。すでに多数の実績のある翻訳家の方なら、出版社にとっても安心材料になるでしょう。

同じようにベテランの方でも、監訳をする方としない方がいます。基本的には、監訳というのはあまり好んでやりたい仕事ではないでしょう。自分で翻訳したほうがはるかに速いですし、完成度も高いのですから。他人の翻訳を直すのは手間暇がかかるばかりか、ストレスにもなります。それでも監訳を引き受けるのは、若手を育てようとのお気持ちからではないでしょうか。

活躍されている方ほど、他の方に引き上げてもらってきた経験があり、その恩返しや恩送りをしたいという思いが強いものです。また、レベルが上がるほど、業界全体への視座も高くなりますので、自分のことだけでなく業界全体のために働くことを考えるものです。

そうやって監訳をされている方を見つけて、お願いしてみるのです。あなたの見つけた原書の類書を探す中で、どんな方が翻訳されているかを見てみましょう。いくつか見ていく中で、複数の方が翻訳していて、監訳者がいるケースが見つかるでしょう。

「でも、監訳をしてもらえるのはお弟子さんとかじゃないの？」と思うかもしれません。

長年その方の下で勉強していて、実力や人柄を十分把握してもらっているから、仕事を任せてもらえるのですね。

ということは、あなたの実力と人柄が監訳をしてあげるのにふさわしいと思ってもらえれば、引き受けていただけるわけですよね。だったら、ここでも逆算してください。どうすれば、そう思っていただけるでしょうか。

ここで一番大切なのは、監訳していただく、つまりお名前を貸していただくことの意味を心から理解することです。あなたは今、一冊の本を出すだけでもものすごく大変な思いをされているでしょう。そんな思いを何十冊分もされてきたということが、どれだけ大変なことかを想像してみてほしいのです。そのうえで、その実績を貸してくださると考えると……どれだけありがたいことか、きっとわかるはずです。その方のお名前に決して傷をつけてはいけないのだと深く、深く心に留めること。まずはそこからです。

相手の貴重なお時間を少しでも無駄にしてしまうことのないよう、翻訳はできる限り練り上げましょう。企画書やサンプルの翻訳など、必要な資料をきちんと用意をしたうえでお願いしましょう。

お願いする際には、できれば直接お会いすることです。

「直接会うっていっても……そんな場はないのでは？」と思うかもしれませんが、ベテランの翻訳家の方なら、出版記念イベントや講演など、人前に出る機会も多いでしょう。語学関連の講座もあるかもしれません。アンテナを立てておけば情報も入りやすくなりますし、お会いできる機会はあるはずです。

仮にそれが講座だとしたら、受講してみましょう。この場でも、やはり逆算です。会場に入る時から、監訳をお願いするための交渉は始まっています。「どこに座れば相手の目に留まるのか」「どの位置なら終了後に話をするチャンスがあるのか」、しっかり考えたうえで着席してください。あなたの身なりが「一緒に仕事をしたいと思える人」であることは言うまでもありません。

私は講演など人前で話をさせていただく機会も多いのですが、「この方はご自分でも人前でお話をされる立場なのだろうな」という方は、会場にいてもすぐにわかります。人数が多いと一人ひとりの受講者なんて目に入らないだろうと考えがちですが、話す側からは意外なほどよく見えているものなのです。

そこでポイントになるのが二つ。「姿勢」と「受講態度」です。

たいていの方は、姿勢が悪いのです。背もたれにもたれかかっているか、前かがみになっているかのどちらかです。イベントや講座の内容にもよりますが、姿勢がいい方は百人に一人と言ってもいいのではないでしょうか。そんな中、背筋がすっと伸びているだけで、目に留まるものです。

そして、受講態度。一対一の場合と違い、見られている意識がないので、素の状態や弛緩した状態で話を聞いている方は多いものです。受講態度ひとつで、自分は見られていることにも意識が向いていると示せるのです。

熱心に聴いてくれる方は、話す側にとってはとてもうれしい、ありがたい存在です。自然とその方のほうを多く見ながら話をすることにもなります。たとえ会場に百人いても、きちんとそこで一対一のコミュニケーションを成立させることはできるのです。

また、熱心な受講態度は、話す側に好印象を与えるだけでなく、一人ひとりの態度によって全体の雰囲気がつくられるわけですから、「場」自体への貢献でもあります。つまり、全体のことを考えて場をつくれる人間だということのアピールにもなるのです。

ですから、「姿勢」と「受講態度」にはしっかり気を配りましょう。そのうえで、講座終了後に話しかけてご挨拶をし、監訳のお願いをしましょう。ただし、長々と引き止めてしまうことがないようにしてください。相手はお忙しいでしょうし、次のお仕事への移動もあるかもしれません。そんな時に自分の用事で時間を取ろうとする人は迷惑ですし、印象も悪くなります。一、二分ですませるようにしましょう。

自己紹介と、翻訳を勉強していること、どうしても自分が手がけたい原書があること、監訳をお願いしたいことをお伝えします。その際、厚かましいお願いであることは重々承知のうえであることも忘れずに申し添えてください。

この短時間では十分に説明することはできないでしょうから、同じ内容の手紙も、必要な資料一式と一緒にお渡ししてください。

そうすると……たぶん、変な人だと思われます。

だって、そんなことを頼んでくる受講者なんて滅多にいないでしょうから。ただ、ここが肝心なのですが、世の中には「厚かましい要求をしてくる変な人」はたくさんいても、「きちんと準備をしたうえで相手のことを考えて提案できる変な人」は意外と少ないものなのです。

それに、あなたが姿勢と受講態度で信頼に足る人間だということを示せて、受講時間中に一対一の関係をきちんとつくれていれば、目を通してくださるでしょう。監訳を引き受けてくださるかどうかはお仕事の状況にもよるでしょうが、何かしらのアドバイスはいただだけると思いますよ。

少なくとも、変な人として覚えていてはくださるでしょうから、何かのご縁のきっかけにはなるでしょう。もともと失うものもないのですし、やってみてはいかがでしょうか。

そしてもうひとつ、人によっては遠回りだけれど、人によっては近道かもしれない……そんな番外編ともいえる方法があります。

私は『虹色のコーラス』という小説の翻訳をスペイン語で手がけました。お話をいただいた時点で英語の本は何冊か出版翻訳をしていましたが、いずれも専門書でした。翻訳実績はあったものの、小説という意味では実績はゼロだったのです。

それでも任せていただけたのは、出版社とその前に絵本『なにか、わたしにできることは？』でご一緒していたことと、スペイン語の翻訳家が少ないという事情があるでしょう。もし原書が英語だったら、小説を主に手がけている方にお話がいったのではと思います。スペイン語で小説翻訳を手がけたことで、今後もし英語の小説を翻訳したいと思った場合にも、手がけやすくなったといえるでしょう。

そう考えると、「英語以外の言語で小説翻訳を手がける」というのも、複数言語で翻訳を手がけている方にとっては近道になるかもしれません。

136ページの越前敏弥さんのインタビューでも、英語以外の言語にも強いと、英語の仕事をするうえでも強みになるという趣旨のお話がありました。また、82ページに登場された岸山きあらさんも英語以外にフランス語を勉強されています。

英語の小説を手がけたいがために今から他の言語を勉強するというのは本末転倒ですが、すでに英語以外の言語も勉強している方や、将来的に複数言語で仕事をしていきたいと考えている方にとっては、選択肢のひとつになると思います。

ちなみに、小説翻訳をさせていただくことになった際の打ち合わせの場で、当時の担当編集者が拙著を見て、「字面がきれいだから、（小説翻訳も）大丈夫だと思います」とおっしゃいました。「字面」は感覚的なものですが、たしかに本を読む時に、パッと開いたページの漢字やひらがなのバランス、文字の雰囲気などがいいと好印象を受けますし、筆力の高い書き手なのだろうと感じます。

それなら、小説翻訳の実績はなくても何かしらの翻訳をしていたり文章を書いたりしている方であれば、字面もアピール材料のひとつとして使えるのではないでしょうか。ジャンルは違うけれど、手がけてきた仕事を参考資料として編集者にお渡しして字面を見てもらうことで、「この人は小説翻訳でも大丈夫そうだな」という判断材料にしてもらうのです。

53ページの「何をどうアピールすればいいの？」や61ページの「実績をつくる」で見たように、何を実績として捉え、アピールしていくかを考える際のヒントにしていただければと思います。

おわりに　夢をかなえるために大切なこと

「著者はどうしてすべてのノウハウを公開して平気なんだろう。みんなが真似したら困らないのかな?」と、よく不思議に思っていました。それがあるセミナーで、「具体的なノウハウ満載の本を読んでも、その内容を実行するのはせいぜい百人に一人」と聞いて衝撃を受けました。それだけ行動に移す方というのは少ないものなのですね。だからこそ、行動することで開かれる可能性も大きいのだと思います。

何かをお伝えした時にもっとも残念なのは、「あなただからできたんでしょう」と言われてしまうことです。どんなことにも属人的な要素はもちろんありますが、この言葉は「自分には無理」とはなから決めつけて正当化してしまっているからです。大切なのは、共通点を見つけて、どうやったら自分にもできるかを考えていくことです。

「あなただからできたんでしょう」と言われてしまうことがないように、本書ではできるだけ再現性を高めて、実行しやすいように一つひとつ具体的な行動に落とし込んでいます。だからどうかぜひ、実際に行動に移してほしいのです。

本書を通して、目的を見据え、そこから逆算して考えることの大切さをお伝えしてきました。ただ、忘れてほしくないのは、がんじがらめにならないこと。いい流れが来た時に軽やかに乗れるように、ちゃんと心の余裕を残しておいてほしいのです。

夢をかなえるルートはまっすぐとは限らず、思いがけないところが夢の近道に通じているものです。自分の決めたことにガチガチでまっしぐらでは、せっかくのルートも見落としてしまいます。

計画を立てても、その通りにいかないのが世の常です。その時にまじめな人ほど、「毎日五ページ翻訳するって決めたのに、できなかった」と落ち込み、「計画通りにできない私は、なんてダメな人間なんだろう」と自分を責め始めます。挙句の果てに、「出版翻訳家になるなんて、どうせ無理なんだ」と夢を放り出してしまいかねません。

計画通りにいかない時に大切なのは、「それでもできたこと」に焦点を当てること。「風邪をひいて一週間ダウンしていたけど、三ページは翻訳できた」ならば、そのがんばりを認めて次につなげていきましょう。自分を責めてしまうのは、一生懸命計画通りにやろうとしていたからなのです。そこに気づいて、責める代わりに、健気な自分をほめて育ててあげましょう。

張り切り過ぎた計画は調整して、継続できる計画に変えていけばいいのです。そんな調整能力も、楽しみながら身につけていきましょう。その能力はきっと出版翻訳家としての仕事にも役立つはずですよ。

迷ったり行き詰まったりしたら、また本書を読み返してみてください。きっとヒントが得られるはずです。本書があなたの出版翻訳家デビューまでの伴走者になれたら、こんなにうれしいことはありません。

調整しながら、いい流れに乗りながら、そして軽やかに。出版翻訳家になる夢を一緒にかなえていきましょう。

夏目大

『Think CIVILITY（シンク シビリティ）「礼儀正しさ」こそ最強の生存戦略である』
クリスティーン・ポラス（東洋経済新報社）

『タコの心身問題――頭足類から考える意識の起源』
ピーター・ゴドフリー＝スミス（みすず書房）

『6時27分発の電車に乗って、僕は本を読む』
ジャン＝ポール・ディディエローラン（ハーパーコリンズ・ジャパン）

『超訳 種の起源―生物はどのように進化してきたのか』
チャールズ・ダーウィン（技術評論社）

植西聰

『心の疲れをとるコツ』（WAVE出版）

『心が折れそうなとき、そっとととなえる魔法の言葉』（学研プラス）

『あなたを取り戻す３日間　小さな休みでできるリセット』（海竜社）

『平常心のコツ「乱れた心」を整える93の言葉』（自由国民社）

越前敏弥

『越前敏弥の日本人なら必ず誤訳する英文 決定版』
（ディスカヴァー・トゥエンティワン）

『文芸翻訳教室』（研究社）

『オリジン』ダン・ブラウン（KADOKAWA）

『解錠師』スティーヴ・ハミルトン（早川書房）

書籍リスト

西村書店

『アンナとわたりどり』
作：マクシーン・トロティエ　絵：イザベル・アルスノー　訳：浜崎絵梨

『ジェーンとキツネとわたし』
絵：イザベル・アルスノー　文：ファニー・ブリット　訳：河野万里子

『言葉の色彩と魔法』
著：ラフィク・シャミ　絵：ロート・レープ　訳：松永美穂

『グレタのねがい　地球をまもり　未来に生きる』
著：ヴァレンティナ・キャメリニ　訳：杉田七重　解説：増田ユリヤ

七七舎

『超高齢社会の介護はおもしろい！　介護職と住民でつくる地域共生のまち』　著：羽田冨美江

『新版　安全な介護』　著：山田滋・下山名月

『セーフティネット　コミュニティソーシャルワーカーの現場　1～5』
編：豊中市社会福祉協議会

雑誌『Bricolage』　三好春樹責任編集（隔月刊行）

笹根由恵

『ゆたかな人生が始まる シンプルリスト』
ドミニック・ローホー（講談社＋α文庫）

『シンプルに暮らす』
ドミニック・ローホー（中経出版）

『今度こそ読み通せる名著 アランの「幸福論」』
アラン（ウェッジ）

『LVMHグループ時計部門プレジデント ジャン-クロード・ビバーの経営学 間違える勇気。』

ジェラール・ルラルジュ（幻冬舎）

【初校】

校正者による初めての校正作業のこと。

また、印刷物のレイアウトや色調を確認するための最初の校正刷りのこと。


【増刷】

在庫が減った書籍を再度印刷すること。厳密には異なるが、重版ともいう。


【トライアル】

翻訳会社主催のオーディション。


【版権】

本書では「原書を日本で出版翻訳するための権利」の意で用いている。


【版元】

図書など印刷物の出版元・発行元のこと。出版社。


【ヒアリングマラソン】

株式会社アルクの提供するサービス。「生の英語」を聞く教材。


【ブックフェア】

出版物の展示会。商取引のための書籍見本市。大規模な国際的ブックフェアには各国の出版社など出版業界関係者が参加して取引交渉する。ドイツのフランクフルト・ブックフェアなどが有名。


【編集プロダクション】

出版物の企画・編集・制作を代行する会社のこと。編プロと略称される。


【訳者校正】

ゲラ（印刷のレイアウトに試し刷りされたもの）を翻訳家自身が文字・文章を比べ合わせ、誤りを正すこと。場合によってはこの段階で原文に戻って突き合わせて確認することもある。


【リーダー】

リーディングを行う人のこと。


【リーディング】

原書を読み、出版翻訳する価値があるのか判断するための資料を作成する仕事。作品のあらすじや概要をわかりやすくまとめる読解力と文章力が必要。そのまま翻訳を任されることもある。

出版翻訳の用語

【アドバンス】

日本の出版社から原書の出版社に対して支払われる前払い金。実質的には著者印税。通常の場合には印税は後払いのため、出版社によってはアドバンスを理由に出版翻訳に難色を示すこともある。


【印税】

翻訳の対価として支払われる報酬。〈書籍の定価×印税率×刷り部数〉で計算する。

増刷のたびに支払われる。


【エージェント】

出版社間の版権交渉・契約の仲介をする会社。エージェンシーとも。


【英訳版】

他のオリジナル言語から英語に翻訳されたもの。オリジナル版から翻訳することをルールにしている出版社もある一方で、英訳版からの翻訳を許容する出版社もある。


【奥付】

巻末にある書誌に関する事柄が記載されている部分。発行年や印刷所、デザイナーなどのほか、担当編集の名前が載っていることもある。


【監修】

情報・内容に間違いがないかを専門家が監督すること。


【監訳】

訳文の質を確保するために監修すること。

複数の翻訳家で分担する際にはその割り振りや用語の統一なども行う。


【再校】

初校に次ぐ二度目の校正のこと。また、その校正紙。


【下訳】

監訳者からの下請けで翻訳作業をすること。手直しは入るが、締切までに一定量をこなす実力が必要。

ひとりまたは数人で一冊を担当する。トライアルから採用されることもある。


【試訳】

正式な翻訳作業にかかる前の試しの訳文。編集者と方向性を共有するために一章分ほど提示する。

本書は英語で仕事をする人の応援サイト「ハイキャリア」の連載

「あなたを出版翻訳家にする7つの魔法」をもとに加筆・修正しました。

寺田真理子

Mariko Terada

日本読書療法学会会長
パーソンセンタードケア研究会講師
日本メンタルヘルス協会公認心理カウンセラー

長崎県出身。幼少時より南米諸国に滞在。東京大学法学部卒業。多数の外資系企業での通訳を経て、現在は講演・執筆・翻訳活動。読書によってうつから回復した経験を体系化して日本読書療法学会を設立し、国際的に活動中。また、うつの体験を通して共感した認知症について、著書や訳書、全国各地での講演活動を通じてパーソンセンタードケアの普及に力を入れている。介護施設や病院の研修、介護・福祉関連団体主催セミナーの講演で多数の実績があり、心理カウンセラーとしての知識を生かした内容が高く評価されている。

出版翻訳家として認知症ケアの分野を中心に英語の専門書を多数出版するほか、スペイン語では絵本と小説も手がけている。

仏教を松原泰道老師に、万葉集や枕草子、徒然草などの古典を清川妙氏に師事。

著書
『うつの世界にさよならする100冊の本』(SBクリエイティブ)
『日日是幸日』(全国コミュニティライフサポートセンター)　他

訳書
『認知症の介護のために知っておきたい大切なこと』(Bricolage)
『私の声が聞こえますか』(雲母書房)
『パーソンセンタードケアで考える認知症ケアの倫理』(クリエイツかもがわ)
『認知症を乗り越えて生きる』(クリエイツかもがわ)
『リーダーのためのパーソンセンタードケア』(全国コミュニティライフサポートセンター)
『なにか、わたしにできることは？』(西村書店)
『虹色のコーラス』(西村書店)
『ありがとう　愛を！』(中央法規出版)　他

翻訳家になるための7つのステップ
知っておきたい「翻訳以外」のこと

2020年6月21日初版第1刷発行

著者	寺田真理子
発行者	安在美佐緒
発行所	雷鳥社 〒167-0043　東京都杉並区上荻2-4-12 TEL 03-5303-9766／FAX 03-5303-9567 http://www.raichosha.co.jp／info@raichosha.co.jp 郵便振替　00110-9-97086
デザイン	川畑あずさ
印刷・製本	シナノ印刷株式会社
協力	五十嵐友美
編集	庄子快

ISBN 978-4-8441-3767-2 C0080